COME LEGGERE

I Malavoglia di G

Il presente volume è stato realizzato con la collaborazione
di MARIO MICCINESI

MASSIMO ROMANO

Come leggere
I Malavoglia
di
Giovanni Verga

MURSIA

Anno				Edizione				
93	92	91	90			3	4	5	6	7

I

GIOVANNI VERGA

L'AMBIENTE

Il 1881, data di pubblicazione de *I Malavoglia*, è un anno magico per la letteratura. In Italia esce *Malombra* di Fogazzaro, un romanzo di grande successo, intriso di cupe leggende e macabri fantasmi, che anticipa le atmosfere torbide del decadentismo; in Francia esce postumo *Bouvard e Pécuchet* di Flaubert, satira corrosiva dell'imbecillità borghese; in Inghilterra viene pubblicato *Ritratto di signora* di James, romanzo di sottili e raffinate psicologie. E l'anno prima Maupassant aveva pubblicato nel volume *Le serate di Médan*, considerato il manifesto della scuola naturalista, il racconto *Palla di sego*; Zola aveva suscitato grande scalpore con il romanzo *Nanà*, di ambiente mondano; Dostoevskij aveva concluso il suo impegno narrativo con *I fratelli Karamazov*, ampio romanzo di scavo negli abissi della coscienza attraverso il tema del parricidio.

È questo un momento di svolte decisive, in cui si giocano le sorti del romanzo europeo. La struttura razionale e ordinata del romanzo ottocentesco, giocata sull'incastro di sequenze descrittive, narrative e dialogate, e sulla figura unitaria e compatta del personaggio, raffigurato nei suoi caratteri fisici e psicologici, è pervenuta ad una fase estrema di sviluppo. L'esplosione delle forme letterarie è un fenomeno significativo di fine secolo, che determinerà la struttura del romanzo novecentesco, un impasto fluido e stratificato di idee, sentimenti, emozioni, ricordi, pensieri, in cui si registrano profonde modificazioni: la frantumazione del personaggio, la dissoluzione dell'intreccio e lo sbriciolamento del tempo, polverizzato in una serie infinitesimale di istanti, attraverso la tecnica dello *stream cf consciousness* (il cosiddetto flusso di coscienza, che consiste nella registrazione del succedersi dei pensieri nella mente).

Quando Verga lavora ai *Malavoglia*, nella seconda metà degli anni '70, in Francia domina la moda del naturalismo, che ha il suo retroterra filosofico nel positivismo, un movimento di pensiero diffuso verso la metà dell'Ottocento sotto la spinta dello sviluppo scientifico, in cui si riflette l'espressione ideologica della nuova organizzazione industriale della società borghese. Il positivismo si fonda sul rifiuto della problematica religiosa e metafisica e sulla fiducia nei fatti « positivi », dimostrabili scientificamente e sperimentalmente. La scienza diventa cosí l'unico strumento capace di spiegare la realtà, vista come un gioco di forze materiali, fisiche, chimiche, biologiche, regolate da leggi meccanicistiche di causa-effetto.

Il principale modello letterario della scuola naturalista è Flaubert, che attua in *Madame Bovary* (1857) la tecnica dell'impersonalità:

« L'artista deve essere nella sua opera come Dio nella creazione, invisibile e onnipotente, sí che lo si senta ovunque, ma non lo si veda mai. E poi l'Arte deve innalzarsi al di sopra dei sentimenti personali e delle suscettibilità nervose. È ormai il tempo di darle, mediante un metodo implacabile, la precisione delle scienze fisiche ».

Per i naturalisti il romanzo diventa uno strumento scientifico di indagine sociale, un mezzo per descrivere la realtà in tutti i suoi aspetti, anche quelli piú quotidiani e volgari, rifiutati dal gusto romantico. Un anno prima dei *Malavoglia*, esce a Parigi *Il romanzo sperimentale* (1880) di Zola, che rappresenta il testo di poetica piú organico e significativo del naturalismo.

Partendo dal metodo di analisi scientifica elaborato dal fisiologo Claude Bernard nella sua *Introduzione alla medicina sperimentale* (1865), Zola ritiene possibile l'applicazione di tale procedimento alla letteratura. Lo scrittore, come lo scienziato, usa gli stessi strumenti: l'osservazione e l'analisi. La qualità principale del romanziere non è piú l'immaginazione, come pensavano i romantici (Sue, Dumas, Hugo), ma il senso del reale:

« Far muovere personaggi reali in un ambiente reale, offrire al lettore un brandello di vita umana; il romanzo naturalista è tutto qui ».[1]

Il « romanzo sperimentale » diventa il resoconto di una esperienza scientifica che il pubblico è in grado di verificare. La funzione dello scrittore è quella di studiare il meccanismo umano delle passioni e delle idee, analogo ai processi del mondo fisico. Sulla scia di Taine, il teorico del determinismo materialistico, Zola afferma due principi che regolano il comportamento dell'uomo: l'ereditarietà biologica e l'influenza dell'ambiente sociale.

L'immagine di Zola che si diffuse in Italia fu quella del romanziere-scienziato e dello scrittore progressista che rappresenta i problemi sociali per migliorare le condizioni dell'uomo in nome del progresso. Non a caso il centro di diffusione dei suoi romanzi e delle sue teorie fu Milano, che, oltre alla sua tradizionale apertura europea, era la città piú vicina, per lo sviluppo economico e sociale degli anni '60 e '70, agli ambienti stranieri, piú disposta a recepire le istanze sociali del naturalismo positivista.

In particolare dovette suscitare molta impressione su Verga la lettura de *L'assommoir* (1877), subito tradotto in italiano con il titolo di *L'ammazzatoio*, che affronta il tema dell'alcolismo attraverso la ricostruzione di ambienti e psicologie popolari che davano l'impressione diretta della realtà vissuta e l'uso di un linguaggio che riproduceva il gergo dei sobborghi operai parigini.

Il caffè Biffi era, alla fine degli anni '70, luogo di lunghe e accanite discussioni tra Verga e Capuana, che lavorava al primo romanzo verista, *Giacinta* (1879), sulla possibilità di « rendere il colore locale anche nella forma letterale ». Per Verga il problema, come vedremo nel commento critico, non sta nei contenuti, nella scelta del tema, ma nello stile, nel linguaggio. Con *I Malavoglia* egli

---

[1] E. ZOLA, *Il romanzo sperimentale*, trad. it., Parma, Pratiche, 1980, p. 141.

« spiazza » l'attesa del romanzo naturalista italiano, che tenta invece di soddisfare Capuana. Il suo problema non è quello di scrivere il romanzo dei pescatori siciliani, come Zola aveva scritto quello degli operai parigini ne *L'assommoir*, ma di fornire una rappresentazione di quel mondo elementare senza residui idillici e lacrimosi, facendo nascere la storia dal linguaggio interiore della comunità.

Il verismo non fu mai per Verga una moda, un'etichetta esteriore, ma il frutto di un lento e graduale processo di maturazione culturale e stilistica. L'*iter* che prepara la composizione dei *Malavoglia* è complesso e aperto su prospettive molteplici, via via sperimentate e scartate, che testimoniano il successivo sintonizzarsi di Verga con i generi letterari e le mode culturali che si susseguono nella letteratura ottocentesca. In questo senso Verga rappresenta lo scrittore italiano piú significativo per capire il gioco intrecciato di tendenze e influenze che caratterizzano lo sviluppo del romanzo italiano. La sua scrittura nasce dalla tensione continua tra le esigenze interne dello scrittore, la sensibilità originale del proprio modo di *fare letteratura* e l'ansia del successo, l'orizzonte di attesa del pubblico, sempre disponibile alle molle consolatorie e patetiche a cui la letteratura romantica lo aveva abituato.

Il suo esordio come scrittore coincide con la scelta del romanzo storico-popolare, un genere letterario che aveva furoreggiato in Europa tra il 1820 e la fine degli anni '40, dove sul modello del romanzo storico di Scott e Manzoni si era poi innestata la tecnica del *feuilleton* o romanzo d'appendice, diffusa da Sue e Dumas. Scrivere un romanzo storico attorno al '60 è ormai un'operazione di retroguardia, essendo questo genere già tramontato con la rivoluzione del '48 e l'esaurirsi del romanticismo, per sopravvivere solo piú come letteratura di intrattenimento e di pura evasione, ad opera di epigoni minori. Ma Verga, quando scrive *Amore e patria* (1856-57), *I carbonari della montagna* (1859-60) e *Sulle lagune* (1862), ha vent'anni e la testa piena di letture romantiche, di libri che qualche decennio prima si erano imposti come best-seller nelle capitali europee della cultura (Parigi, Londra, Milano). Inoltre vive a Catania, un'area culturale allora periferica che recepiva in ritardo l'evolversi delle mode letterarie. Non deve quindi stupire la sua scelta di poetica, che comunque rivela già una disposizione a sintonizzarsi sulle tendenze moderne della letteratura, scartando la canonica formazione classica e accademica dello scrittore italiano per scegliere invece la strada della mitologia romantico-patriottica.

Il primo mutamento di codice letterario si ha quando Verga si trasferisce a Firenze (1869-72) e poi a Milano (1872-93), dove si sintonizza sulle posizioni della scapigliatura, sensibilizzata dalle nuove suggestioni francesi e tedesche. Verga abbandona la formula del romanzo storico per scegliere quella del romanzo mondano, centrata sul tema della « mitizzazione della passione ».[2] Se i toni melodrammatici di *Una peccatrice* (1866) rinviano al romanticismo estenuato de *La signora delle camelie* di Dumas figlio, *Storia di una capinera* (1871) riprende il patetismo umanitario di *Storia di un garofano* di Dall'Ongaro e il filone sociale della narrativa rusticana. Il tema della « malmonacata », che vanta un'illustre tradizione, da *La religiosa* di Diderot alla Gertrude manzoniana, qui è risolto nello schema romantico di « amore e morte », con la protagonista che muore tra le mura del convento per consunzione affettiva. Con *Eva* (1873), storia passionale di un artista e una ballerina, Verga s'inserisce nel clima della scapigliatura e pone al centro del romanzo lo scarto tra il mondo immaginario dei sogni e dei miti romantici (l'arte sublime, l'amore d'eccezione) e la volgare e prosaica realtà della nuova società industriale.

Nella prefazione l'autore denuncia la logica brutale del capitalismo, che con i nuovi miti del denaro, del benessere e del successo ha degradato l'arte-civiltà ad arte-lusso. Se i greci ci hanno lasciato « la statua di Venere », la testimonianza dell'arte contemporanea sarà « il *can-can* litografato sugli scatolini dei fiammiferi »:

« La civiltà è il benessere; e in fondo ad esso, quand'è esclusivo come oggi, non ci troverete altro, se avete il coraggio e la buona fede di seguire la logi-

[2] G. MARIANI, *Storia della scapigliatura*, Caltanissetta-Roma, Sciascia, 1967, p. 590.

ca, che il godimento materiale. In tutta la *serietà* di cui siamo invasi, e nell'antipatia per tutto ciò che non è positivo — mettiamo pure l'arte scioperata — non c'è infine che la tavola e la donna. Viviamo in un'atmosfera di Banche e di Imprese industriali, e la febbre dei piaceri è la esuberanza di tal vita».

Con il romanzo successivo, *Tigre reale* (1875), ambientato tra teatri e salotti, alcove e profumi raffinati, Verga affronta il tema della donna «fatale», eroina passionale e glaciale che suscita i desideri degli uomini, ma rimane impenetrabile all'amore. Questo modello tipologico, già collaudato dagli scrittori scapigliati, sarà diffuso nella letteratura decadente. Nata, la protagonista, è una contessa russa dai «grandi occhi grigi, quasi verdastri, duri e splendenti come i diamanti della sua corona» che allontana l'uomo dalla famiglia e poi, rimasta vittima della passione, muore consumata dalla tisi. Nei toni orridi e macabri di questa delirante agonia si sente l'influenza della *Fosca* di Tarchetti.

Eros (1875), ultimo romanzo della fase mondana e scapigliata di Verga, segna una svolta nella sua narrativa e un distacco rispetto alla mitologia romantica. Non c'è piú lo stile concitato e patetico delle opere precedenti, ma una ironia corrosiva che fa pensare a Dossi. Il protagonista, un aristocratico e fatuo seduttore da salotto che passando da una donna all'altra scopre la propria incapacità d'amare e si suicida, segnala con questa osservazione l'imminente svolta della poetica verghiana:

«Tutta la scienza della vita sta nel semplificare le umane passioni, e nel ridurle alle proporzioni naturali».

La dissoluzione delle passioni eccezionali sfocia nella osservazione degli affetti quotidiani. È questa una svolta decisiva che segna il passaggio dal mondo raffinato dei salotti alla realtà dura della vita contadina, dal romanzo mondano e scapigliato al romanzo rusticano e verista.

L'adesione di Verga al verismo non è un atteggiamento di moda e nemmeno un puro gusto della novità, ma la ne-

cessaria conseguenza della crisi della sua formazione ro-
mantico-risorgimentale e della sua successiva esperienza an-
tiborghese e scapigliata. La conoscenza dei romanzi di Zola
e la comunanza di studi, ricerche e discussioni con Capuana spingono lo scrittore ad assumere un atteggiamento co-
noscitivo, « scientifico », nei confronti della realtà, rifiu-
tando il mito populistico-romantico che identificava nella
campagna e nel mondo primitivo il luogo dei valori autentici da preservare intatti come antidoto allo sviluppo del
progresso e alla degenerazione della società borghese.

Quella di Verga non è, come sostiene invece Masiello,[3]
un'ideologia « contadina », non c'è nella sua opera l'atteggiamento nostalgico per il mondo arcaico e patriarcale
della campagna, visto come Eden di purezza e innocenza.
Nessuno come lui, nell'ambito del romanzo italiano ottocentesco, sa controllare cosí accanitamente lo stile per sfug-
gire alla facile tentazione di abbandoni nostalgici e di effetti lacrimosi. La scelta della poetica verista significa appunto questo: l'esercizio costante di un implacabile controllo stilistico, che nasce nello scrittore non dall'atteggiamento di chi giudica gli eventi, ma da una « condizione di
marmoreo e impassibile testimone ».[4]

La produzione verghiana si colloca nel quadro dell'Italia postunitaria, dove il nuovo Stato non riesce a risolvere
i gravi problemi di una regione — la Sicilia — cristalliz-
zata da secoli in un rigido sistema feudale, percorsa da
egoismi e privilegi, miserie e silenzi. Egli rimane fedele
alla prospettiva unitaria entro la quale erano maturate le
sue scelte ideologiche e politiche, ma subisce profonde lacerazioni intellettuali e psicologiche che saranno alla base
della sua maturazione artistica negli anni '80.

Nel 1881, quando escono I Malavoglia, l'Italia non era
ancora un paese industriale in senso moderno. L'ascesa al
potere della Destra storica (1861-1876), erede del libera-
lismo cavouriano, aveva favorito la borghesia agraria e lo
sviluppo agricolo-commerciale. Ma è un'agricoltura arretra-
ta, scarsa di macchine e concimi chimici, con rapporti di
produzione, specialmente nel centro-sud, di origine ancora

[3] V. MASIELLO, Verga tra ideologia e realtà, Bari, De Donato, 1970.
[4] A. ASOR ROSA, Scrittori e popolo. Il populismo nella letteratura italiana
contemporanea, Roma, Samonà e Savelli, 1965, p. 60.

feudale (la mezzadria). L'avvento della Sinistra al potere
(1876) determina un impulso all'industrializzazione nel
Nord, soprattutto nel settore siderurgico, per favorire la
corsa agli armamenti prodotta dalla nuova politica impe-
rialistica. Il Sud invece subisce gli effetti disastrosi della
crisi agraria, crisi provocata dal crollo dei prezzi per l'arrivo sui mercati europei di enormi quantità di grano ame-
ricano.

Come osserva Baldi, « Verga non è un intellettuale "organico" alla classe dirigente del nuovo regno, ma proviene
dalla media proprietà agricola della provincia meridionale,
da un ceto di *rentiers* [= possidenti] parassitario e non
produttivo, estraneo alla nuova mentalità dinamica del na-
scente capitalismo e alla febbre speculativa e affaristica
che caratterizza la borghesia della "metropoli", e, nonostante i rapporti istituiti con il mondo culturale milanese,
resta profondamente legato all'orizzonte materiale e ideologico dell'ambiente di provenienza ».[5] Per questo non condivide l'ottimismo ufficiale, la fiducia nel progresso dominante nel suo tempo; egli rimane un tipico « galantuomo »
del Sud, legato a un mondo agrario arretrato e immobile,
estraneo e ostile alle tendenze capitalistiche emergenti nel-
l'Italia del Nord negli anni '80 e favorite dalla politica del
governo della Sinistra. La sua posizione è piú vicina a una
destra agraria e conservatrice alla Franchetti e Sonnino.

La sua coincidenza con le posizioni della scapigliatura
nasce quindi da motivazioni diverse. Se la rivolta antibor-
ghese degli scapigliati viene consumata ad un livello puramente protestatario, all'interno delle strutture borghesi,
Verga riflette la situazione dell'intellettuale emarginato, silenzioso testimone di una situazione storico-culturale di ar-
retratezza e miseria. Egli diventa specchio di un disperato
pessimismo tutto consumato nel ritmo interiore della pagina.

Come osserva Luperini, Verga proietta il suo senso di
esclusione, di estraneità al processo storico contemporaneo,
nelle figure di « vinti » e di emarginati delle sue opere.[6]

---

[5] G. BALDI, *L'artificio della regressione. Tecnica narrativa e ideologia
nel Verga verista*, Napoli, Liguori, 1980, p. 18.
[6] R. LUPERINI, *Pessimismo e verismo in Giovanni Verga*, Padova, Liviana 1968.

La sua immagine di scrittore nasce dalla coscienza della crisi del ruolo intellettuale, della sua emarginazione sociale, e si offre come unica depositaria di valori autentici in una società tesa solo al profitto e all'arricchimento. Verga non ha fiducia, come Zola e i naturalisti francesi, nella funzione civile e sociale della letteratura e nell'« impegno » dello scrittore. Non crede che la letteratura possa servire a trasformare e rinnovare la società. Egli rimane — e di qui nasce la sua originale tensione narrativa — uno scrittore « disorganico », di opposizione rispetto ai processi sociali ed economici, alle tendenze della borghesia egemone, molto diverso quindi dal modello piú diffuso e trionfante di scrittore ottocentesco. Egli non è, come Manzoni, lo scrittore che riassume ed esprime i gusti letterari, i valori etico-sociali, i miti del suo tempo; né, come Carducci, diventa un creatore dell'opinione pubblica, un mediatore del consenso, una guida spirituale della nazione. Il suo anticapitalismo nasce da due fattori: 1) la delusione risorgimentale, che ha situato la Sicilia ai margini del processo storico; 2) la crisi di identità del ruolo intellettuale, che determina la sua condizione di testimone isolato del processo di lacerazione della struttura socio-economica italiana.

Il problema del « progresso » è il tema piú dibattuto nell'Italia degli anni '80 e riguarda lo sviluppo delle forze produttive e il conseguente processo sociale che prende avvio dalla formazione dello stato unitario e del mercato economico nazionale. Nella prefazione ai *Malavoglia* Verga, coerente con la sua tendenza anticapitalistica, attua un capovolgimento polemico del mito del « progresso »:

« Il cammino fatale, incessante, spesso faticoso e febbrile che segue l'umanità per raggiungere la conquista del progresso, è grandioso nel suo risultato, visto nell'insieme, da lontano. Nella luce gloriosa che l'accompagna dileguansi le irrequietudini, le avidità, l'egoismo, tutte le passioni, tutti i vizi che si trasformano in virtú, tutte le debolezze che aiutano l'immane lavoro, tutte le contraddizioni, dal cui attrito sviluppasi la luce della verità. Il risultato umanitario copre quanto c'è di meschino negli interessi particolari che lo producono; li giustifica quasi come mezzi necessari a stimolare l'attività dell'individuo cooperante inconscio a beneficio di tutti. Ogni movente di cotesto lavorío universale, dalla ricerca del benessere materiale alle piú elevate ambizioni, è legittimato dal solo fatto della sua opportunità a raggiungere lo scopo del movimento incessante; e quando si conosce dove vada questa immensa corrente dell'attività umana, non si domanda al certo come ci va. Solo l'osservatore, travolto anch'esso dalla fiumana, guardandosi attorno, ha il diritto di interessarsi ai deboli che restano per via, ai fiacchi che si lasciano sorpassare dall'onda per finire piú presto, ai vinti che levano le braccia disperate, e piegano il capo sotto il piede brutale dei sopravvegnenti, i vincitori d'oggi, affrettati anch'essi, avidi anch'essi d'arrivare, e che saranno sorpassati domani ».[7]

Il progresso diventa quindi, agli occhi di Verga, la macina impietosa della storia che travolge i piú deboli, quelli che non sanno subordinare e soffocare la purezza delle ragioni affettive davanti ai meschini egoismi degli interessi materiali. Nella lotta per la vita conta solo la vittoria, e qualunque mezzo è lecito per ottenerla. Un'identica molla spinge l'umanità, a tutti i livelli sociali: dalla « ricerca del benessere materiale » nelle classi povere alle « piú elevate ambizioni » dei ceti aristocratici e altoborghesi. L'evoluzione tematica e strutturale dell'opera verghiana, dai romanzi giovanili ai *Malavoglia*, riflette le lacerazioni e le incertezze di uno scrittore vissuto in un momento di transizione, in cui si assiste al passaggio dall'idealismo romantico dell'Italia risorgimentale al positivismo scientifico dell'Italia borghese, avviata verso lo sviluppo capitalistico e industriale.

Il rapporto di Verga con il positivismo, che fu « l'ideologia organica alla classe dirigente postunitaria »,[8] si spiega con le sue radici ideologiche e socioculturali. Egli matura, intorno agli anni '60, una vocazione letteraria precoce in

[7] G. VERGA, *I Malavoglia*, a cura di N. Merola, Milano, Garzanti, 1980, p. 3 (Riferimenti a citazioni successive saranno incorporati nel testo. Gli eventuali corsivi nelle citazioni sono dell'autore del presente volume).
[8] C.A. MADRIGNANI, *Ideologia e narrativa dopo l'Unificazione*, Roma, Savelli, 1974, p. 206.

un orizzonte provinciale, all'interno della tradizione culturale catanese, caratterizzata da un profondo interesse per
le scienze naturali. Del positivismo accetta le componenti
sperimentali e metodologiche, ma ne rifiuta l'ottimismo di
fondo. Fedele ad una concezione materialistica della realtà, considera la società regolata da meccanismi fondati sul
principio della forza e della lotta per la sopravvivenza. Come si è visto nella prefazione ai *Malavoglia*, Verga utilizza la formula darwiniana della « lotta per l'esistenza ». Il
positivismo assorbito dal clima culturale europeo, innestan-
dosi sul suo radicale pessimismo, produce in lui la convinzione che la realtà sociale è identica in ogni tempo e in
ogni luogo, e non potrà mai essere modificata.

Applicando gli strumenti conoscitivi del metodo naturalistico, Verga riesce a dare esiti originali alla sua poetica, mettendo in dubbio l'ottimismo borghese dei positivisti.

Se Zola orientava l'attenzione sui ceti proletari urbani,
contaminati dalla corruzione della civiltà industriale, Verga rivolge lo sguardo non sulle metropoli, ma sulle zone
rurali, cioè sui ceti ancora esclusi dai rapporti di produzione. Alla base del « romanzo sperimentale » zoliano sta
una concezione progressista della società e della funzione
dello scrittore, che assume un preciso impegno sociale e
politico. Per Verga invece lo scrittore verista è soltanto il
testimone che ricostruisce col massimo scrupolo gli eventi.
La sua preoccupazione è essenzialmente di natura stilistica, evitare cioè l'oleografia, il bozzetto, gli artifici retorici
di una letteratura d'evasione. In questo segue la poetica di
Capuana, secondo il quale il narratore deve « ridurre a materia d'arte la vita italiana, ritraendola direttamente dal
vero, e non co' soliti cieli di carta turchina o colle solite
campagne di verde inglese brizzolato di rosso e di giallo
per simulare i crisantemi e i rosolacci, e non colle solite
contadinelle di terra cotta e le signore vestite di cencio, dalla testina di cartone inverniciato ».

Con *I Malavoglia* Verga trasgredisce i codici letterari
del tempo e offre « un caso clamoroso di sperimentazione
narrativa ».[9] La sua è una sfida coraggiosa verso il pubblico dei lettori, che non riuscendo a recepire la novità rivo-

⁹ N. Borsellino, *Storia di Verga*, Bari, Laterza, 1982, p. X.

luzionaria del romanzo testimoniano, dal punto di vista sociologico, l'incapacità del ceto borghese e urbano a comprendere il ruolo sociale delle plebi meridionali.

LA VITA

Giovanni Verga nasce a Catania il 2 settembre 1840
da una famiglia di agiati proprietari terrieri. Il padre, Giovanni Battista, di antica ascendenza nobiliare, era figlio di
un carbonaro che nel 1812 era stato deputato per Vizzini
al primo Parlamento siciliano. La madre, Caterina Di Mau-
ro, apparteneva ad una famiglia della borghesia catanese.

A undici anni frequenta la scuola di Antonino Abate,
acceso patriota che aveva preso parte alla rivoluzione del
'48 e autore di enfatici poemi e romanzi di gusto romantico come *Il Progresso e la Morte* (1850). Nella sua scuola
il maestro fa studiare le opere di un altro scrittore catanese, Domenico Castorina, che ottenne una certa notorietà
con il romanzo storico *I tre alla difesa di Torino nel 1706*
(1847).

Le letture del giovane Verga segneranno la sua originale fisionomia di scrittore, lontana dalla tradizione tipica-
mente italiana dell'intellettuale letterato e umanista, che
troverà in Carducci, imitatore dei classici e professore uni-
versitario, il modello piú esemplare. Piú che i classici italiani e latini, lo appassionano i romanzi francesi ottocente-
schi, appartenenti all'area della letteratura popolare di con-
sumo (*I tre moschettieri* e *Il conte di Montecristo* di Dumas padre, *La signora delle camelie* di Dumas figlio, *I mi-
steri di Parigi* di Sue, *Il romanzo di un giovane povero* di
Feuillet), e i romanzi storici italiani, specialmente quelli
byroniani e patriottici di Guerrazzi. Nelle sue accanite
letture ci sono anche l'*Ortis* del Foscolo e *I promessi sposi* di Manzoni, i saggi storici (*Storia dell'America* di Ro-
bertson, *Storia d'Inghilterra* di Macaulay, *Storia dell'impe-
ro britannico* di W. e R. Chambers) e i libri di occultismo
e magnetismo.

Nel 1854, per un'epidemia di colera, la famiglia Verga
si trasferisce per qualche tempo a Vizzini, dove il giovane
ha un breve idillio con una educanda « pallida e bruna ».

Da questa esperienza lo scrittore trarrà spunto per *Storia di una capinera*.

Dal dicembre 1856 all'agosto 1857 scrive il primo romanzo, *Amore e patria*, ispirato alla rivoluzione americana e rimasto inedito.

I suoi studi superiori furono irregolari: nel '58 si iscrive alla facoltà di Legge dell'Università di Catania, ma non termina i corsi, preferendo dedicarsi all'attività letteraria e al giornalismo politico. Con i denari che dovevano servirgli per laurearsi pubblica a proprie spese il secondo romanzo, *I carbonari della montagna* (1861-62), scritto tra il 1859 e il 1860, e ambientato in Calabria all'epoca di Murat. In questo periodo la Sicilia è percorsa da agitazioni popolari per l'abolizione della tassa sul macinato, che sfociano in saccheggi di terre e sanguinosi scontri tra contadini e *galantuomini*. Una di queste rivolte, quella di Bronte, repressa nel 1860 da Nino Bixio, sarà rievocata da Verga nella novella *Libertà*.

Nel 1861 si arruola nella Guardia nazionale catanese e vi milita per quattro anni. Intanto, subito dopo la spedizione di Garibaldi e la liberazione della Sicilia, aveva fondato con Nicolò Niceforo il settimanale politico di orientamento unitario e antiregionalistico « Roma degli italiani ».

Nel 1863 viene pubblicato a puntate sulla rivista fiorentina « La nuova Europa », dove l'anno prima era stato recensito *I carbonari della montagna*, il suo terzo romanzo, *Sulle lagune*, una storia romantica di amore e morte ambientata a Venezia.

Nel 1865 lascia la provincia e si reca per la prima volta a Firenze, da un anno capitale del regno e importante centro politico, culturale e mondano. Nel 1866 pubblica il romanzo *Una peccatrice*, storia autobiografica di un intellettuale piccolo-borghese che conquista il successo letterario e la ricchezza sino ad abbandonare la donna amata e a causarne il suicidio.

Nel 1869 torna a Firenze per rimanervi fino al 1872, consapevole del fatto che per diventare scrittore autentico doveva uscire dai limiti della sua cultura provinciale e frequentare i centri letterari piú importanti. Scrive al fratello Mario poche settimane dopo il suo arrivo:

« Firenze è davvero il centro della vita politica e intellettuale d'Italia; qui si vive in un'altra atmosfera, di cui non potrebbe farsi alcuna idea chi non l'avesse provato, e per diventare qualche cosa bisogna vivere a contatto di queste illustrazioni, vivere in mezzo a questo movimento incessante, farsi riconoscere, e conoscere, respirarne l'aria, insomma. Ti ripeto, è indispensabile cominciare da qui la propria strada; e non si può fare a meno di riuscire a qualche cosa ».

La vita mondana ed elegante della città affascina il giovane provinciale, che la descriverà nei romanzi successivi. Frequenta i salotti e i teatri, il Caffè Doney e il Caffè Michelangiolo, luogo di ritrovo dei pittori macchiaioli.

Entra in amicizia con Luigi Capuana, critico teatrale de « La Nazione », e Francesco Dall'Ongaro, che lo introduce negli ambienti culturali piú alla moda e gli fa conoscere pittori, musicisti, uomini politici come l'anarchico Bakunin e scrittori come Prati e Aleardi. Intanto scrive *Storia di una capinera*, romanzo sentimentale e lacrimoso sul tema della monacazione forzata, che appare a puntate nel '70 sul giornale milanese di mode « La ricamatrice » e l'anno successivo in volume, con la prefazione di Dall'Ongaro sotto forma di lettera a Caterina Percoto. Il romanzo gli assicura un notevole successo e una grande notorietà presso il pubblico.

Alla fine del 1872 Verga si trasferisce a Milano, che era allora il centro culturale piú vivo della penisola e piú sensibile alle influenze europee. Qui risiederà, a parte i lunghi soggiorni estivi catanesi, sino al 1893. Questo ventennio rappresenta il momento piú intenso e decisivo per la produzione letteraria dello scrittore, che conosce le nuove tendenze artistiche e le poetiche d'avanguardia.

Grazie a una lettera di presentazione dell'amico Capuana per il romanziere Salvatore Farina, direttore della « Rivista minima », frequenta gli ambienti della scapigliatura e i salotti di Clara Maffei e di Vittoria Cima. Conosce gli scrittori Arrigo e Camillo Boito, Luigi Gualdo, Emilio Praga, Roberto Sacchetti, Giuseppe Giacosa, Federico De Roberto, i musicisti Verdi e Ponchielli, l'editore Treves e

Torelli-Viollier, fondatore e direttore del « Corriere della Sera ».

Il fascino artistico e mondano della capitale lombarda, metropoli ricca di stimoli e seduzioni, entusiasma lo scrittore, che il 5 aprile 1873 scrive all'amico Luigi Capuana, diventato sindaco di Mineo, il suo paese natale, per invitarlo a trasferirsi a Milano:

« Chissà che parlandoti io della bella Milano non riesca a crearti nella mente cotesta atmosfera di sogni che ti occorre per farci schiudere quelli che ti fermentano da tempo nell'anima? Sí, Milano è proprio bella, amico mio, e credimi che qualche volta c'è proprio bisogno di una tenace volontà per resistere alle sue seduzioni, e restare al lavoro. Ma queste seduzioni istesse sono fomite, eccitamento continuo al lavoro, sono l'aria respirabile perché viva la mente; ed il cuore, lungi dal farci torto non serve spesso che a rinvigorirla. Provasi davvero *la febbre di fare*; in mezzo a cotesta folla briosa, seducente, bella, che ti si aggira attorno, provi il bisogno d'isolarti, assai meglio di come se tu fossi in una solitaria campagna. E la solitudine ti è popolata da tutte le larve affascinanti che ti hanno sorriso per le vie e che sono diventate patrimonio della tua mente [...] Quel Milano che tu ti sei immaginato sarà sempre inferiore alla realtà, non perché tu non abbia immaginazione tanto fervida da fantasticare una Babilonia piú babilonia della vera, ma perché ho provato su di me che non arriveremo mai ad accostarci alla realtà di certe piccole cose che ci fanno piccini alla lor volta, e ci danno forze da giganti. Io immagino te, venuto improvvisamente dalla quiete tranquilla della nostra Sicilia, te artista, poeta, matto, impressionabile, nervoso come me, a sentirti penetrare da tutta questa febbre violenta di vita in tutte le sue piú ardenti manifestazioni, l'amore, l'arte, la soddisfazione del cuore, le misteriose ebbrezze del lavoro, pioverti da tutte le parti, dall'attività degli altri, dalla pubblicità qualche volta clamorosa, pettegola, irosa, dagli occhi delle belle donne, dai facili amori, o

dalle attrattive pudiche. Senti, caro amico, a momenti facevo una tirata da farti ridere dio sa come. Vie-
ni, vedi, e prova anche te. Non ti pentirai, ti pro-
metto ».

Nel panorama culturale milanese, dove la scapigliatura
mescola tendenze realistiche e motivi tardoromantici, Verga s'impone all'attenzione con il romanzo *Eva* (1873), ini-
ziato a Firenze, che suscita il sapore dello scandalo per le
indignazioni dei moralisti.

È la storia di un giovane pittore siciliano che vive nel-
l'ambiente mondano di Firenze e brucia le sue illusioni e
i suoi ideali artistici nell'amore per una ballerina, simbolo
della corruzione sociale e dei piaceri frivoli. Il tema della
emarginazione dell'intellettuale, della mercificazione del-
l'amore e dell'arte nella società borghese dominata dal principio del profitto s'inquadra nel clima di polemica anticapitalistica diffuso dalla scapigliatura.

Con le sue storie passionali, raffinate e mondane, Verga conquista il pubblico della borghesia postunitaria e ottiene il consenso dei critici, che considerano i suoi romanzi
modelli di « realismo ».

Eros (1875) è la storia del progressivo inaridirsi di un
giovane aristocratico, corrotto da una società frivola e vuota; *Tigre reale* (1875) analizza il traviamento di un giovane, innamorato di una donna « fatale », divoratrice di uomini, e la finale redenzione con il ritorno alle serene gioie
della famiglia.

Intanto Verga sta orientando in nuove direzioni la sua
sperimentazione letteraria. La lettura di *Madame Bovary*
di Flaubert, che gli aveva inviato Capuana alla fine del
1873, gli propone un metodo piú oggettivo di racconto, lontano da tentazioni autobiografiche, ma nello stesso tempo
lo convince della necessità di non abbandonarsi a quel realismo « dei sensi » che riscontrava nel romanziere francese. Già nel 1874 Verga aveva pubblicato un bozzetto di
ambiente rusticano, *Nedda*, che descriveva la miseria di
una bracciante siciliana, raccoglitrice di olive. Al di là della novità dell'ambiente, il racconto conserva i toni patetici,
sentimentali e lacrimosi dei romanzi mondani. Ciò che invece colpisce, a livello di tecnica narrativa, è « la parsimo-

nia dei mezzi stilistici impiegati per questa umile tragedia rispetto allo spreco delle storie mondane ».[10]. Capuana
osserverà negli *Studi sulla letteratura contemporanea*
(1882) che *Nedda* ha aperto « un nuovo filone nella minie-
ra quasi intatta del romanzo italiano ».

L'approdo al verismo e l'adozione dei nuovi moduli narrativi non rappresentano una brusca inversione di tendenza, ma riflettono una progressiva chiarificazione delle proprie esigenze di poetica. In questo processo esercitò un in-
flusso determinante la lettura degli scrittori naturalisti
francesi, Maupassant, i fratelli de Goncourt e soprattutto
Zola, i cui romanzi erano già diffusi nell'area milanese tra
il '71 e il '75.

In una lettera del 21 settembre 1875 Verga informa l'e-
ditore Treves che sta lavorando a un bozzetto marinaresco dal titolo *Padron 'Ntoni*, primo abbozzo del romanzo
I Malavoglia.

Nel 1876 pubblica *Primavera e altri racconti*, una raccolta di novelle di soggetto diverso già apparse in rivista.

Mentre Capuana pubblica il primo romanzo verista italiano, *Giacinta* (1879), serrata analisi di un caso patologi-
co sul modello di Zola, Verga elabora il piano di un ciclo
di romanzi dal titolo *La marea* (poi cambiato in quello de
I vinti) sul modello già affermato dai *Rougon-Macquart* di
Zola. Il primo accenno a questo progetto è in una lettera
del 21 aprile 1878 all'amico Salvatore Paola Verdura, in
cui Verga annuncia di avere in mente « una fantasmagoria
della lotta per la vita, che si estende dal cenciaiuolo al mi-
nistro ed all'artista ». A differenza di Zola, però, egli non
pone al centro del suo ciclo l'intento scientifico di studiare
gli effetti dell'ereditarietà, ma la volontà di tracciare un
quadro sociale, di delineare « la fisionomia della vita italiana moderna », passando in rassegna tutte le classi, dai
ceti popolari alla borghesia di provincia all'aristocrazia.
Criterio unificante è il principio della lotta per la sopravvivenza, che lo scrittore ricava dalle teorie di Darwin sulla
evoluzione delle specie animali ed applica alla società
umana.

Il ciclo avrebbe dovuto comprendere cinque romanzi:

[10] N. Borsellino, *op. cit.*, p. 43.

1) *Padron 'Ntoni* (poi *I Malavoglia*); 2) *Mastro Don Gesualdo*; 3) *La duchessa delle Gargantàs* (poi *La duchessa di Leyra*); 4) *L'onorevole Scipioni*; 5) *L'uomo di lusso*. Di questi Verga scriverà soltanto i primi due e l'inizio del terzo.

Tra il '78 e il '79 lo scrittore scrive una serie di racconti, ispirati alla vita dura e disumana della campagna siciliana, poi raccolti nel volume *Vita dei campi* (1880): *Rosso Malpelo, L'amante di Gramigna, Cavalleria rusticana, La lupa, Jeli il pastore* e *Fantasticheria*.

Nel 1880 riprende la relazione amorosa con Giselda Fojanesi, conosciuta a Firenze dieci anni prima e poi andata sposa al poeta catanese Mario Rapisardi, che tre anni dopo, scoperta una lettera compromettente di Verga, caccerà di casa la moglie infedele.

Nel 1881 l'editore Treves pubblica il primo romanzo del ciclo, *I Malavoglia*, la storia di una famiglia di pescatori siciliani che le difficoltà economiche prodotte dalla situazione dell'Italia postunitaria spingono a compiere una speculazione commerciale disastrosa, che segna l'inizio di una serie interminabile di sventure.

Il romanzo non ha successo né presso il pubblico né presso la critica, e i soli a parlarne in termini positivi sono gli amici Capuana, Cameroni e Torraca.

Tra il primo e il secondo romanzo del ciclo passano otto anni. Nel lungo intervallo Verga pubblica un romanzo d'indagine psicologica, *Il marito di Elena* (1882), analisi delle irrequietudini di una moglie piccolo-borghese, che con i suoi sogni e le sue ambizioni conduce il marito debole e mite alla rovina. Ritorna il tema erotico-mondano della prima maniera, arricchito però da una tecnica stilistica più abile e smaliziata, in cui si sente l'influenza di Flaubert.

Nella primavera del 1882 fa un viaggio a Parigi, dove incontra lo scrittore svizzero Edouard Rod, che tradurrà le sue opere in francese, e con lui va a trovare Emile Zola a Médan. Prosegue poi il viaggio per Londra, ma rimane deluso dalla capitale inglese.

Nel 1883 escono le *Novelle rusticane*, dodici racconti che ripropongono personaggi e ambienti della campagna siciliana, dove il tema della « roba », nella lotta disperata per la sopravvivenza, diviene dominante. Nello stesso anno appare *Per le vie*, una raccolta di novelle di ambiente milanese sulla miseria del proletariato urbano.

Nel 1884 Verga tenta l'esperienza del teatro con il dramma *Cavalleria rusticana*, tratto da una novella di *Vita dei campi* e rappresentato con grande successo al teatro Carignano di Torino, con Eleonora Duse nella parte di Santuzza. Non ha invece successo la commedia *In portineria*, tratta da un racconto di *Per le vie*, *Il canarino del n. 15*, e rappresentata nel 1885 al teatro Manzoni di Milano.

Nel 1887, mentre in Francia escono *I Malavoglia*, tradotti da Rod, senza incontrare successo di pubblico e di critica, esce *Vagabondaggio*, una raccolta di novelle già apparse sui piú autorevoli periodici del tempo.

Nel 1889 esce il secondo romanzo del ciclo dei « vinti », *Mastro Don Gesualdo* (già apparso l'anno precedente a puntate sulla rivista « Nuova Antologia » in una redazione ancora approssimativa), storia dell'ascesa sociale di un muratore che, con la sua intelligenza e la sua energia, accumula enormi ricchezze, ma va incontro a un tragico fallimento nella sfera degli affetti familiari.

Nel 1890 va in scena, al teatro Costanzi di Roma, l'opera *Cavalleria rusticana*, musicata da Pietro Mascagni, con enorme successo. Verga chiede al musicista e all'editore la quota degli utili sugli introiti e, dopo una complessa vicenda giudiziaria durata tre anni, ottiene la somma di lire 143.000 come compenso per i diritti d'autore. Nel 1893 Verga lascia Milano e si ritira definitivamente a Catania. Riprende la relazione con la pianista Dina Castellazzi di Sordevolo, che aveva conosciuto a Roma nel 1881 e che, con qualche interruzione, durerà tutta la vita.

Pubblica ancora due raccolte di novelle, *I ricordi del capitano d'Arce* (1891), di ambiente mondano, e *Don Candeloro & C.* (1894), sul mondo degli attori girovaghi.

Nel 1894 scrive la riduzione teatrale de *La lupa*, che verrà rappresentata nel 1896 al teatro Gerbino di Torino con discreto successo. Nel 1895 incontra Zola e Capuana a Roma, ma i suoi rapporti con lo scrittore francese sono piuttosto formali e senza vera comprensione reciproca.

Nell'estate del 1896 comincia a lavorare al terzo romanzo del ciclo, *La duchessa di Leyra*, ma non riuscirà a portare a termine quest'opera, nonostante il suo impegno in minuziose ricerche storiche e d'ambiente. Scriverà solo il primo capitolo e un breve frammento del secondo. Gli ultimi due romanzi del progetto iniziale, *L'onorevole Scipioni* e *L'uomo di lusso,* non saranno neppure affrontati.

Difficili da definire le ragioni dell'interruzione, anche perché non si hanno in proposito testimonianze dirette dell'autore. Si possono formulare tre ipotesi concomitanti: l'inaridirsi della vena narrativa, la difficoltà di affrontare con il metodo dell'impersonalità gli ambienti delle classi elevate e le psicologie complesse e raffinate, e infine il logoramento dei moduli naturalisti e veristi, sostituiti tra la fine dell'Ottocento e i primi del Novecento dal romanzo decadente di vasto successo, quello di D'Annunzio e Fogazzaro.

Scrive ancora due atti unici per il teatro, *La caccia al lupo* e *La caccia alla volpe,* rappresentati a Milano nel 1901, e il dramma in tre atti *Dal tuo al mio* (1903), poi trasformato in racconto nel 1906, incentrato su uno sciopero di solfatari e sulla figura di un operaio che, sposata la figlia del padrone, tradisce la coscienza politica dei compagni per difendere i suoi interessi.

Negli ultimi vent'anni Verga si chiude in un silenzio quasi totale e vive nell'isolamento, dedicandosi alla cura delle sue proprietà agricole, ossessionato dalle preoccupazioni economiche per gli scarsi profitti del suo agrumeto.

Le sue posizioni politiche si fanno sempre piú chiuse e conservatrici. Come aveva condiviso la politica coloniale del governo Crispi, cosí si dichiara interventista allo scoppio della prima guerra mondiale e nazionalista nel dopoguerra.

Nel luglio del 1920, al teatro Valle di Roma, Verga viene festeggiato per il suo ottantesimo compleanno con un discorso ufficiale tenuto da Luigi Pirandello. Nello stesso anno viene nominato senatore.

Muore a Catania per un attacco di trombosi il 27 gennaio 1922, che è l'anno della marcia su Roma e dell'ascesa al potere del fascismo.

II

I MALAVOGLIA

1. La trama

La genesi dei *Malavoglia*, pubblicato nel febbraio 1881 a Milano presso Treves, inizia nel 1875 con il progetto di un « bozzetto marinaresco » intitolato *Padron 'Ntoni*, poi trasformato in romanzo nel 1878. I primi nuclei della vicenda e i personaggi erano già presenti nel racconto *Fantasticheria*, scritto all'inizio del 1878 e pubblicato sul « Fanfulla della domenica » il 24 agosto 1879 (poi inserito nella raccolta *Vita dei campi*). È qui che si gioca la svolta verghiana, il suo passaggio dal romanzo mondano al romanzo rusticano. Il tema della nobildonna col « manicotto di volpe azzurra » che si ferma due giorni ad Acitrezza da turista svagata per osservare quel « mucchio di casipole » abitato da pescatori suona come sfida ai lettori borghesi del tempo, abituati alle storie passionali e romanzesche dei salotti e delle alcove. Per comprendere la « caparbietà, che è per certi aspetti eroica » di questi umili pescatori, lo scrittore opera una scelta innovativa di poetica, si propone di « chiudere tutto l'orizzonte fra due zolle, e guardare col microscopio le piccole cause che fanno battere i piccoli cuori ».

Viene espresso in questo racconto « l'ideale dell'ostrica », il fulcro ideologico che regolerà la visione del mondo della famiglia Malavoglia:

« il tenace attaccamento di quella povera gente allo
scoglio sul quale la fortuna li ha lasciati cadere [...]
questa rassegnazione coraggiosa ad una vita di sten-
ti, questa religione della famiglia, che si riverbera
sul mestiere, sulla casa, e sui sassi che la circonda-
no ».

La prefazione al romanzo contiene una demitizzazione
del progresso, che non a caso coincide con la trionfalistica
messinscena del ballo *Excelsior*, allestito alla Scala proprio nel 1881, per celebrare i fasti milanesi dell'Esposizione Universale.

La vicenda dei *Malavoglia* è ambientata ad Acitrezza,
un paese a pochi chilometri di distanza da Catania, e si
svolge in un periodo di tempo di circa quindici anni, a partire dal dicembre 1863. Non mancano, anche se rari, pre-
cisi riferimenti storici, come la battaglia di Lissa del 1866
e il colera del 1867.

La narrazione è organizzata in quindici capitoli, che si
possono raggruppare in tre parti. La prima comprende i
capitoli I-IV e ha per argomento il negozio dei lupini, il
naufragio della barca (la *Provvidenza*) e i funerali di Bastianazzo.

Il racconto inizia con la presentazione della famiglia
Toscano, chiamata da tutti, in paese, con soprannome
scherzosamente ingiurioso, « Malavoglia ». Questo nomignolo, in siciliano *'ngiuria*, non rispecchia il reale comportamento dei vari membri della famiglia, « tutti buona e
brava gente di mare » (p. 5).

Il lettore li vede passare in fila, quando entrano in
chiesa alla domenica, disposti gerarchicamente « come le
dita della mano »:

« Prima veniva lui, il dito grosso, che comandava le
feste e le quarant'ore; poi suo figlio Bastiano, *Bastia-*
nazzo, perché era grande e grosso quanto il San Cristoforo che c'era dipinto sotto l'arco della pescheria
della città; e cosí grande e grosso com'era filava diritto alla manovra comandata, e non si sarebbe sof-
fiato il naso se suo padre non gli avesse detto "soffia-
ti il naso" tanto che s'era tolta in moglie *la Longa*

quando gli avevano detto "pigliatela". Poi veniva la
Longa, una piccina che badava a tessere, salare le
acciughe, e far figliuoli, da buona massaia; infine i
nipoti, in ordine di anzianità: 'Ntoni, il maggiore,
un bighellone di vent'anni, che si buscava tutt'ora
qualche scappellotto dal nonno, e qualche pedata più
giù per rimettere l'equilibrio, quando lo scappellotto
era stato troppo forte; Luca, "che aveva più giudizio del grande" ripeteva il nonno; Mena (Filomena)
soprannominata "Sant'Agata" perché stava sempre
al telaio, e si suol dire "donna di telaio, gallina di
pollaio, e triglia di gennaio"; Alessi (Alessio) un
moccioso tutto suo nonno colui! e Lia (Rosalia) ancora né carne né pesce. — Alla domenica quando en-
travano in chiesa, l'uno dietro l'altro, pareva una
processione » (pp. 7-8).

Dopo la partenza di 'Ntoni per il servizio militare a
Napoli, nei primi quattro capitoli si raccontano avvenimenti che si svolgono nel giro di meno di una settimana,
nel settembre 1865 (la data dell'anno è desumibile per in-
duzione e dagli appunti lasciati da Verga nella prepara-
zione del romanzo). Padron 'Ntoni acquista dei lupini (se-
mi gialli, simili alle fave, commestibili) a credito da zio
Crocifisso (l'usuraio) con la mediazione di Piedipapera (il
sensale) e da questo momento la famiglia è impegnata a
pagare il debito di quarant'onze (l'onza è un'antica mone-
ta siciliana), benché i lupini risultino subito avariati; Mena e Alfio (un carrettiere) intrecciano un delicato e reti-
cente idillio amoroso; scoppia la tempesta e si viene a sapere che la *Provvidenza* ha fatto naufragio col suo carico
di lupini e che in esso hanno trovato la morte Bastianazzo
e uno dei figli della Locca (una donna semideficiente), Me-
nico, che lo accompagnava nel viaggio.
Subito dopo, tutto il paese partecipa alle esequie di Bastianazzo e alla visita di condoglianza in casa Malavoglia
(è il pranzo del « cuònsolo », portato dai parenti o dagli
amici in occasione dei lutti, in uso in Sicilia) e l'autore ne
approfitta per farci conoscere tutti i personaggi del libro,
cioè i paesani di Trezza: zio Crocifisso, detto Campana di
legno, don Silvestro (il segretario comunale), Piedipapera

e sua moglie Grazia, don Franco (lo speziale) e la Signora
(sua moglie), don Giammaria (il prete) e Rosolina (sua sorella), padron Cipolla (ricco proprietario di terre e di barche) e suo figlio Brasi, mastro Croce Callà, detto Baco da
seta (il sindaco) e sua figlia Betta, Santuzza (proprietaria
dell'osteria del paese), Nunziata (una fanciulla abbandona-
ta dal padre che alleva da sola i fratellini), Turi Zuppiddu
(il calafato), sua moglie (Venera Zuppidda) e sua figlia
(Barbara), ragazza da marito ambita da tutti gli scapoli del
paese, Vespa (nipote di Campana di legno), Alfio Mosca e
alcuni altri.

La seconda parte comprende i capitoli V-IX e copre un
periodo di tempo di quindici-sedici mesi, dall'autunno 1865
alla fine del 1866 circa. Essa ha per argomento il debito
dei lupini e i tentativi che la famiglia Malavoglia compie
per pagarlo e poter conservare cosí la casa del nespolo (luogo dove abita già da alcune generazioni), sino all'abbandono dell'abitazione e al trasferimento nella casa del beccaio, nella via del Nero.

Nel V capitolo, 'Ntoni ottiene il congedo militare (non
vuol espletare altri sei mesi di servizio, cosa che avrebbe
liberato il fratello Luca dagli obblighi di leva) ed è costretto ad andare a giornata insieme con il nonno sotto padron
Cipolla, per guadagnare i soldi necessari non solo a pagare il debito ma anche a riparare la *Provvidenza*, nel frattempo ripescata. Gli sforzi dei Malavoglia sono frustrati
dal concorso di due fattori, che li mandano in rovina: an-
zitutto l'onestà del nonno, che, pur avendo la possibilità
legale di non pagare il debito, come gli consiglia l'avvocato Scipioni (la casa è sottoposta a ipoteca dotale e quindi
non potrebbe essere sottratta ai Malavoglia), intende rispettare a ogni costo la parola data a Campana di legno;
in secondo luogo, la decisione di don Silvestro di sbarazzarsi di 'Ntoni, suo rivale nell'amore per Barbara Zuppidda.
Sarà proprio don Silvestro, deciso a far cadere in miseria
'Ntoni e tutta la sua famiglia, a consigliare Maruzza la
Longa a rinunciare all'ipoteca dotale e quindi a permettere
a zio Crocifisso di mettere le mani sulla casa del nespolo.
Cosí le speranze di padron 'Ntoni, incentivate da una ripresa economica provocata da una fortunata pesca di acciughe e dalla possibilità di sposare Mena con Brasi, un

giovane un po' sciocco ma figlio del ricco padron Cipolla, vanno in fumo, anche perché una nuova disgrazia si abbatte sulla famiglia: proprio mentre viene celebrato il fidanzamento tra Mena e Brasi, giunge in paese la notizia della battaglia di Lissa, in cui ha trovato la morte Luca. Cosí il matrimonio fallisce e anche 'Ntoni deve rinunciare a Barbara.

Da notare, nel capitolo VII, l'episodio della protesta delle donne del paese contro il dazio sulla pece: la rivolta è guidata dalla Zuppidda contro il segretario comunale, a cui non vuole cedere in moglie la figlia.

La terza parte comprende i capitoli X-XV e copre il periodo di tempo piú lungo, dal colera del 1867 al 1877 o 1878 circa.

Dopo un capitolo di transizione, il X, dedicato alla tempesta che coglie la *Provvidenza* con sopra il nonno, 'Ntoni e Alessi e al ferimento e alla lenta guarigione di padron 'Ntoni, quest'ultima parte ha inizio con la protesta di 'Ntoni che non accetta la vita dura e ripetitiva del lavoro di pescatore e vuole andarsene dal paese per tentare di far fortuna nelle grandi città, « dove non si faceva altro che spassarsi e non far nulla » (p. 187), ma è trattenuto dalle preghiere della madre e del nonno. Ma la Longa muore per il colera, e 'Ntoni decide di partire.

Nel capitolo XII il nonno, privo dell'apporto del nipote, indispensabile per la pesca, è costretto a vendere la barca e ad andare a giornata, con Alessi, da padron Cipolla. Intanto 'Ntoni ritorna « lacero e pezzente » (p. 205) e senza scarpe. Dapprima frequenta lo speziale, attratto dai suoi velleitari discorsi di rivolta, poi (capitolo XIII) si rifiuta di lavorare e va all'osteria per ubriacarsi con Rocco Spatu e Cinghialenta (un carrettiere) e per farsi mantenere dalla Santuzza, che aveva nel frattempo rotto i suoi rapporti con don Michele (il brigadiere) e con massaro Filippo (l'ortolano), complici nel contrabbando del vino. 'Ntoni, rimasto senza denari, viene cacciato dall'osteria e si dà al contrabbando di fazzoletti di seta, zucchero e caffè, con Rocco Spatu, Cinghialenta e il figlio della Locca, sotto la regia di Piedipapera e con Vanni Pizzuto (il barbiere) nel ruolo di spacciatore. Intanto don Michele comincia a corteggiare la giovane Lia.

Nel capitolo XIV 'Ntoni, sorpreso una notte con i suoi compari del contrabbando dalle guardie di finanza, accoltella don Michele, con cui aveva già avuto una zuffa violenta per rivalità amorosa. Al processo l'avvocato Scipioni orienta la difesa sul movente d'onore, rendendo pubblica la relazione di don Michele con Lia (per tutelare l'onore della quale 'Ntoni avrebbe ferito il brigadiere) e cosí screditando, anche moralmente, la famiglia Malavoglia. Lia, sconvolta dalla notizia, fugge da Trezza per andare a perdersi nella città, mentre il nonno, colpito nei suoi valori piú profondi, cade in una sorta di inebetimento. 'Ntoni viene condannato a cinque anni di prigione.

Nel capitolo XV il nonno, per non essere di peso alla famiglia, si fa portare col carretto di Alfio e all'insaputa dei nipoti, all'ospedale di Catania, dove morirà solo. Alessi sposa la Nunziata e riscatta la casa del nespolo. Alfio chiede a Mena di sposarlo, ma la ragazza rifiuta perché il disonore è ormai caduto sulla famiglia e lei non è piú « da maritare ». Intanto Barbara Zuppidda va sposa a padron Cipolla, il cui figlio Brasi era stato costretto alle nozze dalla nullatenente Mangiacarrubbe, mentre Campana di legno sposa la Vespa. Una notte 'Ntoni, uscito dal carcere, torna a casa, ma non può rimanervi perché ormai si sente escluso da quell'ambiente, e sul far dell'alba riparte per sempre.

2. *La struttura del romanzo*

La struttura del romanzo, assolutamente atipica nel panorama pur cosí variegato del romanzo ottocentesco, è una costruzione a mosaico, giocata su una « rete fittissima di rimandi, echi, allusioni, presagi e riprese ».[1] Già Capuana si era accorto della straordinaria novità strutturale dei *Malavoglia*: « un romanzo come questo non si riassume. È un congegno di piccolissimi particolari [...] organicamente innestati insieme ». Qui Verga è riuscito a filtrare nel ritmo interno del racconto le sue intenzioni di poetica, quelle già

1 V. SPINAZZOLA, *Verismo e positivismo*, Milano, Garzanti, 1977, p. 183.

espresse nella prefazione a *L'amante di Gramigna*, dell'opera d'arte che deve sembrare « essersi fatta da sé », dell'autore che deve « eclissarsi », scomparire dietro i fatti, e poi riaffermate piú tardi in una lettera a E. Rod del 14 luglio 1899:

« ho cercato di mettermi nella pelle dei miei personaggi, vedere le cose coi loro occhi ed esprimerle colle loro parole ».

Il canone dell'impersonalità diffuso dagli scrittori naturalisti francesi diventa nell'opera verghiana non tanto un distacco dai personaggi per guardarli dall'alto, quanto un « mettersi nella loro pelle », un identificarsi con loro sino a sparire dietro le parole.

Con questa tecnica Verga vuol far conoscere un mondo culturale — quello dei pescatori di Acitrezza — estraneo ai lettori. Questo ambiente, mentre sta lavorando al romanzo, diventa l'ossessione della sua scrittura. A tal punto che non riesce a dimenticarlo neppure quando scrive un racconto di fantasmi, cupi castelli e orrori gotici come *Le storie del castello di Trezza*: « i pescatori sparsi per la riva, o aggruppati dinanzi agli usci delle loro casipole, chiacchieravano della pesca del tonno e della salatura delle acciughe ».[2]

Il tema centrale del romanzo è la storia di una famiglia decaduta, che cerca di recuperare l'originaria condizione di chi possiede « delle barche sull'acqua, e delle tegole al sole » (p. 6), entrambe perdute. Non a caso i Malavoglia sono chiamati dalla gente del villaggio « quelli della casa del nespolo, e della *Provvidenza* ch'era ammarata sul greto » (p. 6). La struttura dell'intreccio consiste quindi nella ostinata ricerca di un equilibrio sempre negato. La serie di sventure che scaturisce dal debito dei lupini segna il progressivo declassamento dei Malavoglia e la loro emarginazione dal tessuto sociale in cui erano in origine perfettamente integrati. Nasce cosí una situazione conflittuale, un campo di tensioni, che regola lo svolgimento della vicenda, tra la famiglia dei protagonisti e la collettività del villaggio.

---

[2] G. VERGA, *Le storie del castello di Trezza*, in ID., *Tutte le novelle*, Milano, Mondadori, 1962, vol. I, p. 95.

Cerchiamo ora di capire in cosa consiste la straordinaria novità di struttura del romanzo, del tutto atipica rispetto ai modelli diffusi nella narrativa ottocentesca. Verga rinuncia al narratore onnisciente tradizionale, esterno alla
realtà rappresentata, che filtra tutto il racconto attraverso
il suo punto di vista, introducendo spiegazioni e commenti.
Era questa la tecnica con cui erano costruiti i romanzi di
Balzac e Manzoni, Dickens e Tolstoj. Egli affida invece il
ruolo della voce narrante a un anonimo narratore popolare, che offre un repertorio di situazioni e di fatti. Questo
narratore non entra mai in scena, non ha quindi un volto,
ma è pura voce che ascolta, registra e narra. Sta qui la geniale trovata di Verga, poi realizzata con tecnica raffinatissima nel corso del racconto: aver sostituito alla tradizionale onniscienza del romanziere ottocentesco la fluida ubiquità del narratore popolare, realizzata attraverso l'interrelazione di tutti i punti di vista all'interno della sfera narrativa. Di qui l'effetto di « coralità » già segnalato da Luigi
Russo nel suo saggio su *Giovanni Verga* (1919), per cui è
difficile stabilire « dove finisca la vita malavogliesca che si
svolge tra le pareti della casa del Nespolo, e dove incominci quella del villaggio ». La coralità nasce appunto dal continuo sovrapporsi di molteplici voci, quella del narratore
popolare e quella dei diversi personaggi. In questo senso
I Malavoglia si può considerare un perfetto modello di
« romanzo polifonico », dove ogni personaggio è insieme
oggetto della parola del narratore e soggetto della propria
parola. Riprendiamo la definizione dal critico russo Michail
Bachtin, che l'ha riferita alla narrativa di Dostoevskij,[3] ma
ci pare che per Verga risulti ancora piú appropriata ed azzeccata.

La coesistenza e l'interazione dei dialoghi che avvengono nel luogo circoscritto del villaggio danno al romanzo
una struttura sinfonica, costruita sul gioco di ripetizioni e
simmetrie, variazioni e riprese. Il dialogo diventa azione,
vettore dinamico che costruisce il racconto non attraverso
l'esposizione analitica degli eventi, ma mediante la registrazione dei linguaggi. Il punto di vista dello scrittore non

    [3] M. BACHTIN, *Dostoevskij. Poetica e stilistica*, trad. it., Torino, Einaudi,
1968.

s'identifica con nessuno dei punti di vista dei personaggi, scompare dietro il continuo spiazzamento che di volta in volta le voci dialoganti operano sui fatti.

3. La dimensione dello spazio e del tempo

Anche la dimensione spaziale e temporale del romanzo è in funzione di questa struttura. Lo spazio non si definisce mai nella sua oggettività, ma nel modo con cui appare ai personaggi. È uno spazio di tipo scenico, luogo privilegiato dei movimenti, dei gesti, delle parole e dei pensieri degli « attori » della vicenda. Esso coincide con il villaggio di Acitrezza, ordinato in una serie di momenti scenici: la casa del nespolo e il mare, l'osteria di Santuzza e la bottega dello speziale, la piazza e la spiaggia, gli scalini della chiesa e il negozio del barbiere, la casa del beccaio e gli scogli del Rotolo. Questa rigida delimitazione dello spazio narrativo pone i personaggi in una costante correlazione visiva e auditiva, per cui l'intrecciarsi degli sguardi e delle voci dà al romanzo una struttura stratificata e polifonica. Acitrezza diventa cosí il luogo dove ciascuno vede i gesti o sente le parole degli altri, attua e subisce giudizi e commenti sulle persone e sugli eventi.

Solo saltuariamente l'azione si sposta da Acitrezza ai paesi vicini, come Aci Castello, dove i Malavoglia si recano a salutare 'Ntoni quando parte soldato, o alla « città » (Catania), dove i Malavoglia sono costretti, in diverse circostanze, a recarsi, a causa dei loro guai: per avere consigli sull'ipoteca della casa dall'avvocato Scipioni, per informarsi sulla sorte di Luca dopo la notizia del disastro della battaglia di Lissa, per il processo a carico di 'Ntoni. Catania diventa, per i poveri diavoli di Acitrezza, il luogo infernale della rovina e della catastrofe: qui Lia andrà a perdersi come prostituta e padron 'Ntoni andrà a morire all'ospedale, lontano dai suoi familiari e dal suo mondo.

Nei *Malavoglia* vengono nominate anche località lontane, che però non sono teatro di fatti immediatamente vissuti, ma semplice eco di avvenimenti mediati da personaggi in veste di narratori: Napoli, descritta nelle lettere e nei racconti di 'Ntoni come il paese dei balocchi, con « le donne vestite di seta e cariche di anelli » che « vanno in giro

per le vie a rubarsi i bei marinari » (p. 181), le pizze e il
teatro di Pulcinella; Trieste, perché nelle sue vicinanze
si svolse « una gran battaglia di mare » (allusione alla battaglia di Lissa), che due marinai, ad essa scampati, narra-
no ai popolani di Trezza. Oppure queste località vengono
nominate come puri esempi di terre lontane, queste e non
altre perché solo di esse i personaggi conoscono il nome:

> « padron 'Ntoni aveva fatto quel viaggio lontano,
> piú lontano di Trieste e d'Alessandria d'Egitto, dal
> quale non si ritorna piú » (p. 272).

Presso Trieste morí Luca, mentre per Alessandria d'E-
gitto partí il padre della Nunziata, che non fece piú ritorno a casa. Proprio queste due città compaiono nei sogni di evasione e di ricchezza che finiranno per perdere
'Ntoni, il piú inquieto dei Malavoglia:

> « Una volta 'Ntoni Malavoglia, andando girelloni pel
> paese, aveva visto due giovanotti che s'erano imbar-
> cati qualche anno prima a Riposto, a cercar fortuna,
> e tornavano da Trieste, o da Alessandria d'Egitto,
> insomma da lontano, e spendevano e spandevano al-
> l'osteria meglio di compare Naso, o di padron Ci-
> polla » (p. 181).

Anche la dimensione temporale è trattata da Verga in
modo diverso rispetto ai modelli classici della narrativa ottocentesca. Nei romanzi di Manzoni o Stendhal, Balzac o
Flaubert, esiste uno scarto fra la linearità del *tempo del
discorso*, cioè del modo di presentare i fatti, e la pluridimensionalità del *tempo della storia*, cioè degli avvenimenti riferiti. Nei *Malavoglia*, i due tempi tendono a una totale coincidenza, quanto alla loro dimensione, non quanto
alla durata. Infatti, dopo una fase iniziale di sintonia, dopo il IV capitolo si assiste ad una dilatazione del tempo
della storia e a una contrazione del tempo del discorso.
L'effetto di coincidenza dipende dalla particolare tecnica verghiana, che ottiene una mimési del tempo reale attraverso una rigida delimitazione dello spazio narrativo
che, come già abbiamo osservato, pone i personaggi in co-

stante rapporto visivo e uditivo. Verga procede per sequenze parallele, per cui la narrazione acquista la stessa pluridimensionalità dell'accadere reale. Un esempio clamoroso, perfetto per riuscita stilistica, è il capitolo II, che mette in scena il « coro » di Acitrezza, dove il cicaleccio delle comari e i discorsi degli uomini sfociano in « un continuo chiacchierío da un uscio all'altro » (p. 30). È la sera in cui parte la *Provvidenza* con Bastianazzo e il carico di lupini. Tre diversi gruppi di personaggi sono impegnati a conversare. Uno « sugli scalini della chiesa » (p. 21), dove si ha il contrappunto tra il discorso di Piedipapera e padron Cipolla sulle terre e sui poderi e i pensieri di padron 'Ntoni, rivolti alle sorti della barca e del figlio. Padron Cipolla aspetta la pioggia per le sue viti, mentre padron 'Ntoni teme l'avvicinarsi del maltempo:

> « "Chi la vuol cotta e chi la vuol cruda", conchiuse Piedipapera. "Padron Cipolla aspetta l'acqua per la sua vigna, e voi il ponente in poppa alla *Provvidenza*" » (p. 23).

Sono due prospettive diverse, due punti di vista opposti che segnalano il contrasto tra i Malavoglia e la comunità del villaggio:

> « Padron 'Ntoni non pensava ad altro che alla *Provvidenza*, e quando non parlava delle cose sue non diceva nulla, e alla conversazione ci stava come un manico di scopa » (p. 23).

Un altro gruppo si trova « sull'uscio della bottega » (p. 24) dello speziale, dove don Franco e don Silvestro ridono del prete, don Giammaria, che si allontana con lo zio Crocifisso e comincia a passeggiare per la piazza, sparlando dei compaesani.

Un terzo gruppo è riunito davanti alla casa dei Malavoglia: sono le donne — la cugina Anna, comare Grazia Piedipapera, la Zuppidda, e poi Mena e Nunziata — che dialogano da uscio a uscio sugli intrighi amorosi del paese e sui matrimoni in vista.

Un altro significativo esempio di « dialogato » parallelo

si ha nel capitolo IX, durante la scena della festa di fidanzamento tra Mena e Brasi Cipolla, che si svolge nella casa del nespolo. Improvvisamente la scena si sposta sulla piazza, dove due marinai che hanno partecipato alla battaglia di Lissa raccontano, come se fossero dei cantastorie popolari, i fatti avventurosi di cui sono stati testimoni alla folla radunata intorno:

> « Raccontavano che si era combattuta una gran battaglia di mare, e si erano annegati dei bastimenti grandi come Aci Trezza, carichi zeppi di soldati; insomma un mondo di cose che parevano quelli che raccontavano la storia d'Orlando e dei paladini di Francia alla Marina di Catania, e la gente stava ad ascoltare colle orecchie tese, fitta come le mosche » (p. 132).

Lo spostamento di inquadratura si attua attraverso lo sguardo di Piedipapera, che dal muro della casa del nespolo

> « stava guardando un piccolo crocchio di persone che discorrevano fra di loro vicino alla fontana, colla faccia seria come se fosse per cascare il mondo » (p. 132).

Il passaggio da una sequenza all'altra è graduale: Piedipapera è dapprima *attore* nella casa del nespolo e *testimone* di quanto accade sulla piazza, secondo una duplicità di funzioni comune a tutti i personaggi del romanzo; quindi, con il suo spostamento verso la fontana, introduce la seconda scena:

> « "O perché non sono venuti il vicario e don Silvestro?" domandò Piedipapera.
> "Gliel'ho detto anche a loro, ma vuol dire che hanno da fare", rispose padron 'Ntoni.
> "Son là, alla spezieria, che sembra ci sia quello dei numeri al lotto. O cosa diavolo è successo?"
> Una vecchia andava strillando per la piazza, e si strappava i capelli, quasi le avessero portato la ma-

lanuova; e davanti alla bottega di Pizzuto c'era folla come quando casca un asino sotto il carro, e tutti si affollano a vedere cos'è stato, talché anche le donnicciuole guardavano da lontano colla bocca aperta, senza osare d'accostarsi.

"Io, per me, vado a vedere cos'è successo", disse Piedipapera, e scese dal muro adagio adagio.

In quel crocchio, invece dell'asino caduto, c'erano due soldati di marina, col sacco in spalla e le teste fasciate, che tornavano in congedo » (p. 132).

Lo sguardo del personaggio diventa cosí lo strumento che crea l'unità temporale tra le sequenze. Il villaggio di Acitrezza appare quindi un mondo sferico e in sé concluso, per cui tutto ciò che avviene al di fuori dei suoi confini non viene mai descritto, in quanto il narratore non lo può conoscere, ma sempre riferito dalle parole di personaggi-testimoni (la vita militare di 'Ntoni a Napoli, la morte di Luca a Lissa, il traviamento di Lia, riferito dalla testimonianza di Alfio Mosca quando torna al paese).

Per annullare la percezione, da parte del lettore, dei salti temporali della vicenda, Verga usa la tecnica della concatenazione, cioè della ripetizione della frase da una sequenza all'altra. La concatenazione crea il particolare *continuum* narrativo dei *Malavoglia*, un effetto di circolarità che dà il senso del ronzare delle idee, dei sentimenti e dei pensieri nella mente dei personaggi. Anche questa tecnica conferma il pathos della distanza che sta alla base dell'artificio letterario verghiano, l'impianto di una poetica fondata su « un lavoro di ricostruzione intellettuale » e non su facili e scontate nostalgie affettive o patetiche, come afferma lo stesso Verga in una lettera a Capuana del 14 marzo 1879:

« Anch'io faccio assegnamento su *Padron 'Ntoni* e avrei voluto, se la disgrazia non mi avesse perseguitato sí accanitamente e spietatamente, darvi quell'impronta di fresco e sereno raccoglimento che avrebbe dovuto fare un immenso contrasto con le passioni turbinose e incessanti delle grandi città, con quei bisogni fittizii, e quell'altra prospettiva delle idee o direi anche dei sentimenti. Perciò avrei desiderato andarmi a rintanare in campagna, sulla riva del mare, fra quei pescatori e coglierli vivi come Dio li ha fatti. Ma forse non sarà male dall'altro canto che io li consideri da una certa distanza in mezzo all'attività di una città come Milano o Firenze. Non ti pare che per noi l'aspetto di certe cose non ha risalto che visto sotto un dato angolo visuale? e che mai riusciremo ad essere tanto schiettamente ed efficacemente veri che allorquando facciamo un lavoro di ricostruzione intellettuale e sostituiamo la nostra mente ai nostri occhi? ».

La tecnica della concatenazione è soprattutto evidente nel passaggio da un capitolo all'altro:

« "Che disgrazia!" dicevano sulla via. "E la barca era carica! Piú di quarant'onze di lupini!" » [fine cap. III] « Il peggio era che i lupini li avevano presi a credenza » [inizio cap. IV]

« "Mio fratello Luca sta meglio di me a fare il soldato!" brontolò 'Ntoni nell'andarsene » [fine cap. VII] « Luca, poveretto, non ci stava né meglio né peggio » [inizio cap. VIII]

« e se ['Ntoni] vedeva passare qualche povera donnicciuola, che tornava dalla città, curva sotto il carico come un asino stanco, e andava lamentandosi per via, secondo il costume dei vecchi: "Vorrei farlo io quello che fate voi, sorella mia!" le diceva per confortarla. "Alla fin fine è come andare a spasso" [fine cap. IX] « 'Ntoni andava a spasso sul mare tutti i santi giorni » [inizio cap. X]

« don Giammaria se n'era andato facendosi la croce per la piazza, e borbottando: "Bella razza d'uomini nuovi, come quel 'Ntoni Malavoglia là, che va girelloni a quest'ora pel paese!" » [fine cap. X] « Una volta 'Ntoni Malavoglia, andando girelloni pel paese » [inizio cap. XI]

« 'Ntoni gli [a don Michele] prometteva che voleva dargli il resto quando l'incontrava » [fine cap. XIII] « Quando 'Ntoni Malavoglia incontrò don Michele per dargli il resto » [inizio cap. XIV]

« Lia uscí nel cortile e poscia nella strada, e se ne andò davvero, e nessuno la vide piú » [fine cap. XIV] « La gente diceva che Lia era andata a stare con don Michele » [inizio cap. XV]

La concatenazione produce un effetto di circolarità anche all'interno dei capitoli, cucendo il filo del discorso. Nel capitolo I, si veda l'ironico conforto della Zuppidda nei confronti della Longa a proposito della lontananza di suo figlio 'Ntoni per il servizio militare:

« "Ora mettetevi il cuore in pace, che per cinque anni bisogna fare come se vostro figlio fosse morto, e *non pensarci piú*".
Ma pure *ci pensavano sempre*, nella casa del nespolo » (pp. 12-13).

Oppure il dialogo tra don Silvestro e don Giammaria sulla mancanza di pazienza di don Franco nella bottega dello speziale (capitolo II):

« Don Silvestro rideva come una gallina, e quel modo di ridere faceva montare la mosca al naso allo speziale, il quale per altro *di pazienza non ne aveva mai avuta*, e la lasciava agli asini e a quelli che non volevano fare la rivoluzione un'altra volta.
"Già, *voi non ne avete mai avuta*, perché non sapreste dove metterla!" gli gridava don Giammaria » (p. 33).

Nel capitolo IX la concatenazione sottolinea il tema dell'emarginazione dei Malavoglia, dopo l'abbandono della casa del nespolo, dalla comunità del villaggio:

« La madre era la sola che le [a Mena] aveva letto in cuore, e che ci avesse lasciata cascare una buona parola in quell'angustia. "Almeno se ci fosse compar Alfio, non ci avrebbe *voltate le spalle* anche lui. Ma quando sarà il tempo del vino nuovo tornerà qui."

Le comari, poverette, non avevano *voltato le spalle* ai Malavoglia.» (p. 143)

Nel capitolo XIV la concatenazione sottolinea il tema del sonno come segno di complicità col contrabbando. Viene registrato il monologo di 'Ntoni che viene portato in caserma per aver accoltellato don Michele:

« "L'hanno scampata!" diceva fra di sé; "non hanno a temere piú di niente, come Vanni Pizzuto e Piedipapera che *dormono* fra le lenzuola a quest'ora. Soltanto a casa mia *non dormono piú,* dacché hanno udito le schioppettate."
Infatti quei poveretti non *dormivano,* e stavano sulla porta, sotto la pioggia, come se avesse parlato loro il cuore » (p. 246).

Analizziamo ora il problema della durata temporale, che Verga contrae o dilata secondo le sue necessità narrative. Al capitolo I, trascorrono quasi due anni dalla partenza di 'Ntoni per la leva (dicembre 1863) al naufragio di Bastianazzo (settembre 1865). Poi il trascorrere del tempo rallenta, sino a registrare una coincidenza fra tempo della storia e tempo del discorso nel capitolo II, interamente dedicato alle chiacchiere del villaggio. Dal capitolo V al capitolo IX passano circa quindici mesi (autunno 1865-fine 1866). Poi il tempo accelera improvvisamente, e dal capitolo X al capitolo XV passano circa dieci anni.

La vicenda sembra collocata non in un preciso e ben definito tempo storico, nonostante qualche concreto riferimento cronologico, ma in una dimensione atemporale, che dà al racconto un sapore di « attualità remota ».[4] I fatti storici di cui si parla nel romanzo — la battaglia di Lissa, la cacciata dei Borboni, l'impresa garibaldina — non hanno una funzione di cronaca o di sfondo, ma vengono citati solo perché costituiscono motivo di guai per i Malavoglia o sono argomenti di conversazione e di polemica per la gente del villaggio.

⁴ N. Borsellino, *op. cit.,* p. 68.

4. La molteplicità dei punti di vista

La struttura dei *Malavoglia* consiste in un *continuum* narrativo fluido e compatto che nasce dal dissolversi di un punto di vista centralizzato a cui ricondurre tutte le linee di fuga. Di qui il moltiplicarsi dei piani del racconto, già rilevato da Devoto[5] e da Spitzer.[6] Verga inventa una tecnica del tutto atipica, dove è la parola a creare l'intreccio, il dipanarsi della storia. Dietro la prospettiva opaca del narratore popolare, che non interviene mai direttamente nel racconto, si snoda una molteplicità di punti di vista, irriducibili al punto di vista dello scrittore.

Verga, rispettando il metodo dell'impersonalità, rinuncia a filtrare il narrato attraverso il proprio punto di vista di intellettuale borghese, e adotta il punto di vista di un anonimo narratore popolare interno alla realtà sociale rappresentata. È questo un originale procedimento narrativo che Baldi ha definito « artificio della regressione ».[7]

Il gioco dei molteplici punti di vista è regolato da un « "narratore" camaleontico »[8] che assume di volta in volta la maschera di tutti coloro che entrano in scena, si identifica con la loro ideologia, i loro pregiudizi e le loro credenze, ne riproduce stereotipi mentali e comportamenti verbali. Si determina così una pluridialogicità, che rimette continuamente in discussione il discorso offrendo una prospettiva sfaccettata, prismatica, sui fatti, le idee e i comportamenti. La problematicità del romanzo nasce dal costante conflitto tra il punto di vista della collettività del villaggio, ispirato alle leggi della lotta per la vita, e il punto di vista dei Malavoglia, che difendono ostinatamente i valori autentici e disinteressati. È proprio questa dialettica tra gli opposti punti di vista che salva il romanzo dal rischio della mitizzazione del mondo rurale.

---

[5] G. Devoto, *I « piani del racconto »* in due capitoli dei « Malavoglia » (1954), in *Nuovi studi di stilistica*, Firenze, Le Monnier, 1962.
[6] L. Spitzer, *L'originalità della narrazione nei « Malavoglia »*, in « Belfagor », 1956, n. 1, pp. 37-53.
[7] G. Baldi, *L'artificio della regressione*, cit.
[8] G. Baldi, *op. cit.*, p. 81.

La famiglia Malavoglia difende per tutto il romanzo i valori autentici: la « religione » della casa e della famiglia, l'onore, il lavoro, la solidarietà e l'altruismo. E in questa lotta soccombe, precipitando nella rovina e nella catastrofe. Sono loro i « vinti » del Verga, non perché sopraffatti dal destino, ma perché sconfitti dai piú forti, dominati dal meccanismo crudele e spietato di chi conosce solo la legge della forza e dell'interesse economico.

Per riprendere una felice intuizione di Girard,[9] il gioco della struttura narrativa verghiana svela la « verità romanzesca » sotto la « menzogna romantica ». Mette cioè in luce i reali rapporti tra i ceti, illumina i conflitti di classe e di interesse, al di là di mistificazioni patetiche e sentimentali. Verga è forse l'unico grande scrittore ottocentesco che non si lascia sedurre e incantare dal mito del mondo popolare e rurale, visto come Eden incontaminato di purezza e innocenza, luogo dei valori tradizionali e dei sentimenti genuini. Come ha osservato Baldi, « il carattere fondamentale che connota il mondo dei "primitivi" non è la fedeltà ai valori puri e disinteressati, bensí la fedeltà ad una spietata logica economica, fondata sull'interesse personale, sulla violenza e la sopraffazione ».[10]

La « verità romanzesca » dei *Malavoglia* svela dall'interno il processo attraverso il quale la mentalità mercantile e trafficante disgrega il modello di unità familiare della struttura patriarcale. C'è una frase nel romanzo, ripetuta da diversi personaggi, che funziona da spia indicativa: « badare ai propri interessi ». Tale espressione assume un senso diverso in rapporto a chi la pronuncia: per l'usuraio Campana di legno significa affermare la logica dell'utile e dell'interesse personale, per padron 'Ntoni indica l'ostinata difesa del nucleo familiare, del lavoro, dell'onore e della onestà.

Per evidenziare questa opposizione Verga costruisce la sua macchina narrativa sul continuo contrappunto di due registri stilistici, di due livelli tonali: il « comico » e il « tragico ». Al clima « comico » del villaggio si oppone il clima « tragico » della famiglia Malavoglia. Da una par-

[9] R. GIRARD, *Menzogna romantica e verità romanzesca*, trad. it., Milano, Bompiani, 1981.
[10] G. BALDI, *L'artificio della regressione*, cit., p. 114.

te la purezza affettiva e la serietà ostinata dei Malavoglia, incrinata da latenti trasgressioni e ribellioni ('Ntoni), dall'altra l'ottusità ridicola, la perfetta *bêtise* e lo spietato cinismo degli abitanti del paese. Se la norma centrale del codice malavogliesco è il « contentarsi del proprio stato », per gli abitanti di Acitrezza la regola di vita è l'ascesa sociale ed economica, ottenuta con lo strumento dell'inganno e dell'ambiguità. Questi meccanismi antagonistici e crudeli sono esplorati da Verga in un ampio ventaglio di possibilità: l'avidità senza scrupoli di zio Crocifisso, l'ottuso attaccamento alla proprietà di padron Cipolla, la doppiezza cinica di Piedipapera, l'ipocrisia della Santuzza, l'astuzia parolaia di don Franco, la malignità pettegola della Zuppidda, l'ambizione e l'arrivismo di don Silvestro. La realtà di Acitrezza è un mondo crudele e spietato, dove chi è sconfitto viene deriso ed emarginato per il trionfo della macchinazione e dell'inganno degli impostori.

L'importanza storica e letteraria dei *Malavoglia* consiste nell'essere un romanzo non consolatorio, ma problematico, inquietante e corrosivo. L'adozione di una stratificata molteplicità di punti di vista mescola continuamente i rapporti tra i valori, mostra come positivi e vincenti gli aspetti piú atroci e ripugnanti della realtà, come il calcolo economico e la disumanità degli arrivisti.

Per ottenere questo effetto Verga usa la tecnica dello « straniamento », che si fonda su due elementi: 1. la differenza tra il punto di vista della voce narrante e il punto di vista del personaggio; 2. la rappresentazione di ciò che è « normale » come se fosse « strano », o, al contrario, di ciò che è « strano » come se fosse « normale ». Si ha un effetto di straniamento quando viene adottato, per descrivere una persona o narrare un fatto, un punto di vista completamente estraneo all'oggetto.

All'inizio del romanzo padron 'Ntoni, che non s'interessa di politica e pensa solo all'unità e alla sopravvivenza economica del nucleo familiare, viene definito dal segretario comunale don Silvestro

> « un codino marcio, un reazionario di quelli che proteggono i Borboni, e che cospirava pel ritorno di Franceschiello » (pp. 8-9).

Verso la fine del romanzo la galera di 'Ntoni, che distrugge l'onore della famiglia, cosí viene commentata da
padron Cipolla:

« "È un buon affare anche per padron 'Ntoni. Crede-
te che non gliene mangi dei soldi quel malarnese di
suo nipote? Io lo so quel che vuol dire un figlio che
vi fa quella riuscita! Ora glielo manterrà il re" »
(p. 249).

E alla Locca che si lamenta per il figlio prigioniero in
caserma, suo fratello (lo zio Crocifisso) risponde:

« "La galera ce l'ho in casa! [allude alla Vespa, la
nipote che ha sposato]. Vorrei esserci io al posto di
tuo figlio! Cosa vuoi da me? Già il pane non te lo
portava nemmeno lui!" » (p. 248).

Un altro esempio clamoroso di straniamento si ha nel
capitolo III, che registra i commenti sul naufragio della
Provvidenza. Il punto di vista narrativo non si colloca al-
l'interno dei protagonisti che vivono il dramma, ma li presenta dall'esterno, utilizzando l'ottica deformante degli abitanti del villaggio, che assistono al dramma come spetta-
tori indifferenti o malevoli.
È indicativo come il commento conclusivo non stabili-
sca alcuna gerarchia di valore fra la tragedia della morte
e il danno economico:

« "Che disgrazia!" dicevano sulla via. "E la barca
era carica! Piú di quarant'onze di lupini!" » (p. 48).

Padron Cipolla, ricco proprietario di terre, riflette un
atteggiamento conservatore e considera la disgrazia come
giusta punizione per la colpa commessa, quella di aver tentato di sconvolgere la rigida gerarchia delle condizioni sociali:

« "Adesso tutti vogliono fare i negozianti, per arric-
chire!" diceva stringendosi nelle spalle, "e poi quando hanno perso la mula vanno cercando la cavez-
za" » (p. 42).

La Vespa, ossessionata dalla smania della proprietà stravolge completamente la realtà effettiva delle cose:

« "la vera disgrazia è toccata allo zio Crocifisso che ha dato i lupini a credenza" » (p. 45).

Infine c'è l'ironia crudele e spietata dello speziale:

« "Bella Provvidenza, eh! padron 'Ntoni!" » (p. 47).

Nella commedia delle chiacchiere e dei pettegolezzi del paese l'evento tragico che ha colpito i Malavoglia si sfaccetta in una molteplicità di prospettive diverse. Il naufragio della *Provvidenza*, filtrato attraverso i vari punti di vista del paese, subisce un processo di « straniamento »: ciò che è « normale » (il mondo degli affetti familiari, il dolore per la morte di un congiunto), visto da un'ottica estranea, appare « strano »; al contrario ciò che è « strano » (la disumanità della logica dell'interesse), visto dal punto di vista della collettività, appare « normale ».

Un esempio di questo secondo tipo di straniamento, si ha alla fine del capitolo VI, quando i Malavoglia si recano in processione da don Silvestro, « per chiedergli come dovevano fare per pagare il debito » (p. 85). Il segretario comunale, che vuole rovinare 'Ntoni, del quale è rivale nell'amore per Barbara Zuppidda, trova subito un accordo con zio Crocifisso, offrendogli come temporanea contropartita al debito la rinuncia di Maruzza all'ipoteca dotale sulla casa. La scena è un tipico esempio di opposizione tra livello « comico » e livello « tragico », dove lo straniamento permette al lettore di recepire l'enorme scarto tra le due visioni del mondo:

« Quei poveri ignoranti, immobili sulle loro scranne, si guardavano fra di loro, e don Silvestro intanto rideva sotto il naso. Poi mandò a chiamare lo zio Crocifisso, il quale venne ruminando una castagna secca, giacché aveva finito allora di desinare, e aveva gli occhietti più lustri del solito. Dapprincipio non voleva sentirne nulla, e diceva che lui non ci entrava più, e non era affar suo. "Io sono come il muro bas-

so, che ognuno ci si appoggia e fa il comodo suo,
perché non so parlare come un avvocato, e non so
dire le mie ragioni; la mia roba par roba rubata, ma
quel che fanno a me lo fanno a Gesú Crocifisso che
sta in croce"; e seguitava a borbottare e brontolare
colle spalle al muro, e le mani ficcate nelle tasche;
né si capiva nemmeno quel che dicesse, per quella
castagna che ci aveva in bocca. Don Silvestro sudò
una camicia per fargli entrare in testa che infine i
Malavoglia non potevano dirsi truffatori, se volevano pagare il debito, e la vedova rinunziava all'ipoteca. "I Malavoglia si contentano di restare in camicia per non litigare; ma se li mettete colle spalle
al muro, cominciano a mandar carta bollata anche
loro, e chi s'è visto s'è visto. Infine un po' di carità
bisogna averla, santo diavolone! Volete scommettere
che se continuate a piantare i piedi in terra come un
mulo, non avrete niente?"
E lo zio Crocifisso allora rispondeva: "Quando mi
prendono da questo lato non so piú che dire"; e pro-
mise di parlarne a Piedipapera. "Per riguardo all'a-
micizia io farei qualunque sacrificio". Padron 'Ntoni poteva dirlo, se per un amico avrebbe fatto questo ed altro; e gli offrí la tabacchiera aperta, fece
una carezza alla bimba, e le regalò una castagna.
"Don Silvestro conosce il mio debole; io non so dir
di no. Stasera parlerò con Piedipapera, e gli dirò di
aspettare sino a Pasqua; purché comare Maruzza ci
metta la mano". Comare Maruzza non sapeva dove
bisognava metterla, la mano, e rispose che ce l'avrebbe messa anche subito. "Allora potete mandare a
prendervi quelle fave che mi avete chiesto per semi-
narle"; disse poi lo zio Crocifisso a don Silvestro,
prima di andarsene.
"Va bene, va bene", rispose don Silvestro; "lo so
che per gli amici avete il cuore grande quanto il
mare". » (pp. 86-87).

La commedia degli intrighi e degli inganni assume in
questa sequenza il suo volto piú crudele e spietato. Da una
parte « quei poveri ignoranti » dei Malavoglia, che difen-

dono gli antichi valori patriarcali della casa, della famiglia, del lavoro e dell'onore, e che lo zio Crocifisso vuol fare apparire come « truffatori »; dall'altra il doppio gioco del segretario comunale e dell'usuraio, che mandano in rovina gli altri per obbedire alle leggi dell'interesse, dell'ambizione o del puntiglio. Si noti inoltre l'effetto ironico, ottenuto con la tecnica dello straniamento, delle parole dello zio Crocifisso, che dice « non so parlare come un avvocato, e non so dire le mie ragioni », quando invece è abilissimo nel farsi i propri interessi, e afferma « la mia roba par roba rubata », mentre effettivamente di furto reale e non apparente si tratta, a cominciare dall'inganno iniziale dei « lupini avariati ». Nell'ottica straniata di don Silvestro lo zio Crocifisso avrebbe « il cuore grande quanto il mare », sarebbe un esempio di generosità e non di egoismo, a tal punto da concludere la scena con un gesto quasi sadico, che appare alle proprie vittime come un atto di cordiale amicizia. Si rivolge a padron 'Ntoni

> « e gli offrí la tabacchiera aperta, fece una carezza alla bimba, e le regalò una castagna » (p. 86).

Lo straniamento svela cosí il rovesciamento dei rapporti reali, determinato dalla logica collettiva della comunità paesana, che obbedisce alla legge dell'utile e della violenza.

Agli occhi dei paesani, la decisione dei Malavoglia di non mandare il nonno all'ospedale, « normale » per le ragioni affettive dell'etica, diventa « strana » per chi segue la legge dell'utile e dell'interesse, quasi fosse un atto di superbia:

> « "Allora perché non lo mandano all'ospedale, quel vecchio?" tornavano a dire gli altri, "e perché se lo tengono in casa a farselo mangiare dalle pulci?" » (p. 266).

I personaggi del romanzo non sono quasi mai oggetto di descrizione, né sul piano fisico (limitato a pochi cenni) né su quello psicologico, perché non hanno una struttura autonoma (come in tanti modelli di romanzo ottocentesco), ma esistono solo in rapporto agli altri, come « voci » di un dialogo collettivo.

Per ottenere questo effetto, Verga usa una particolare tecnica stilistica, quella del discorso indiretto libero, « uno strumento narrativo che, mentre costruisce dall'interno il personaggio, non interrompe il fluire e lo sviluppo del racconto ».[11] Tecnicamente esso è una variante del discorso indiretto (mentre il discorso diretto riporta testualmente le parole pronunciate o affermate, tra virgolette, il discorso indiretto le riferisce facendole dipendere da un verbo di « dire » o « pensare », sul tipo « egli disse che... » o « pensò che... ») e si chiama « libero » perché elimina il *verbum dicendi* e la congiunzione dichiarativa. Questo procedimento crea ambiguità nel discorso perché è difficile stabilire se il discorso appartiene al narratore o al personaggio, in quanto il momento del passaggio tra i due discorsi non è indicato da nessun preciso segnale grammaticale. Verga poi lo usa in una maniera atipica, tutta sua: mentre nel discorso indiretto libero « ortodosso » è possibile distinguere esattamente dove comincia il discorso del personaggio e dove finisce il discorso del narratore, nei *Malavoglia* il narratore si sovrappone al personaggio, s'identifica nel suo modo di pensare e di parlare, vede la realtà attraverso i suoi occhi. Rimane quindi fluida e ambigua la distanza, evidente nell'indiretto libero canonico, tra « chi parla » (il narratore) e « chi vede » (il narratore-personaggio).

La straordinaria capacità di identificazione mimetica del « narratore » verghiano è in grado di offrire due punti di vista diversi e opposti. Si veda questa inquadratura della Zuppidda:

> « La Zuppidda sapeva tutto quello che succedeva in paese e per questo raccontavano che andava tutto il giorno in giro a piedi scalzi, a far la spia, col pretesto del suo fuso, che lo teneva sempre in aria perché non frullasse sui sassi. Ella diceva sempre la verità come il santo evangelio, questo era il suo

[11] G. PIRODDA, *L'eclissi dell'autore. Tecnica ed esperimenti verghiani*, Cagliari, Edes, 1976, p. 93.

vizio, e perciò la gente che non amava sentirsela cantare, l'accusava di essere una lingua d'inferno, di quelle che lasciano la bava » (p. 28).

Il primo periodo riporta il giudizio della collettività sulla Zuppidda, vista come donna pettegola e maligna, il secondo riflette l'opinione che la Zuppidda ha di sé, una donna che « diceva sempre la verità come il santo evangelio ».

Ed ecco ora il ritratto di zio Crocifisso, costruito con tecnica antifrastica: [12]

« Egli era un buon diavolaccio, e viveva imprestando agli amici, non faceva altro mestiere, che per questo stava in piazza tutto il giorno, colle mani nelle tasche, o addossato al muro della chiesa, con quel giubbone tutto lacero che non gli avreste dato un baiocco; ma aveva denari sin che ne volevano, e se qualcheduno andava a chiedergli dodici tarì glieli prestava subito, col pegno, perché "chi fa credenza senza pegno, perde l'amico, la roba e l'ingegno", a patto di averli restituiti la domenica, d'argento e colle colonne, che ci era un carlino dippiú, com'era giusto, perché "coll'interesse non c'è amicizia". Comprava anche la pesca tutta in una volta, con ribasso, quando il povero diavolo che l'aveva fatta aveva bisogno subito di denari, ma dovevano pesargliela colle sue bilancie, le quali erano false come Giuda, dicevano quelli che non erano mai contenti, ed hanno un braccio lungo e l'altro corto, come San Francesco; e anticipava anche la pesca per la ciurma, se volevano, e prendeva soltanto il denaro anticipato, e un rotolo di pane a testa, e mezzo quartuccio di vino, e non voleva altro, ché era cristiano, e di quel che faceva in questo mondo avrebbe dovuto dar conto a Dio. Insomma era la provvidenza per quelli che erano in angustie, e aveva anche inventato cento modi di render servigio al prossimo,

---

[12] L'antifrasi è un procedimento che consiste nell'indicare il contrario di ciò che si pensa.

e senza essere uomo di mare aveva barche, e attrezzi, e ogni cosa, per quelli che non ne avevano,
e li prestava, contentandosi di prendere un terzo
della pesca, piú la parte della barca, che contava
come un uomo della ciurma, e quella degli attrezzi,
se volevano prestati anche gli attrezzi, e finiva che
la barca si mangiava tutto il guadagno, tanto che la
chiamavano la barca del diavolo » (pp. 49-50).

Qui la funzione narrativa appartiene al « narratore »
popolare, che giudica la realtà secondo gli schemi dell'usuraio. Zio Crocifisso, cinico e ricco usuraio che vive alle
spalle dei poveri pescatori, determinando la rovina dei Malavoglia, è presentato come « un buon diavolaccio » che
presta denaro agli « amici », vestito di un « giubbone tutto lacero ». Si considera un « cristiano » e si crede « !a
provvidenza per quelli che erano in angustie », ma improvvisamente l'effetto di straniamento svela una prospettiva del tutto opposta: l'interesse da pagare per i pescatori è talmente elevato che « finiva che la barca si mangiava tutto il guadagno, tanto che la chiamavano la barca del
diavolo ».

5. Stile e ideologia

La struttura del romanzo disegna un percorso circola-
re, sferico: inizia con la partenza di 'Ntoni per la leva e si
conclude con la partenza di 'Ntoni dal paese, che ha il sapore di un distacco definitivo. C'è un'armonia iniziale,
quella del mondo umile di una comunità di pescatori, poi
infranta dalle tentazioni seducenti del « progresso » e infine recuperata con il prezzo durissimo della rovina morale
ed economica e dello sradicamento esistenziale.

La curva del racconto parte con un attacco favolistico:

« Un tempo i *Malavoglia* erano stati numerosi come
i sassi della strada vecchia di Trezza » (p. 5),

per concludersi nella ripetizione ciclica del quotidiano, della vita immobile e stagnante dove non c'è piú posto per

chi, come 'Ntoni, ha conosciuto l'esperienza sconvolgente del rifiuto e della coscienza critica:

> « Tornò a guardare il mare, che s'era fatto amaranto, tutto seminato di barche che avevano cominciato la loro giornata anche loro, riprese la sua sporta, e disse: "Ora è tempo d'andarsene, perché fra poco comincierà a passar gente. Ma il primo di tutti a cominciar la sua giornata è stato Rocco Spatu" » (p. 276).

Tutto il racconto registra una serie successiva di catastrofi che si abbattono sulla famiglia dei Malavoglia: il naufragio della *Provvidenza* e la morte di Bastianazzo, il debito da pagare per il negozio dei lupini, la morte di Luca nella battaglia di Lissa, il mancato matrimonio di Mena con Brasi Cipolla, la perdita della barca e il grave ferimento di padron 'Ntoni, la morte della Longa per il colera, il sequestro della casa del nespolo, la degradazione di 'Ntoni che si dà all'ubriachezza e al vagabondaggio e rimane poi coinvolto nel contrabbando che, dopo la coltellata a don Michele, lo condurrà in galera, la fuga di Lia verso la strada della prostituzione e la morte di padron 'Ntoni all'ospedale.

Dopo questo accumulo quasi incredibile di disgrazie, il romanzo si chiude con il trionfo del « nido », cioè di una nuova-antica vita rurale e patriarcale fondata sui valori dell'etica, della casa e del lavoro, attraverso il matrimonio di Alessi con la laboriosa Nunziata e il riscatto della casa del nespolo.

La struttura dell'intreccio ha un segno ideologico inequivocabile: non è possibile alcun tipo di trasformazione sociale. Le strade aperte sono due: 1. la traiettoria tracciata da 'Ntoni, dinamica ma fallimentare, orientata sull'ostinata e disperata ribellione, che porta alla coscienza critica del reale, pagata però con lo sradicamento e l'esclusione dalla comunità rurale; 2. la scelta di Alessi, statica ma vincente, fondata sull'accettazione del proprio destino e sul recupero sempre piú utopico dei valori arcaici, come l'esperienza dolorosa di padron 'Ntoni ha già dimostrato.

La rovina dei Malavoglia sembra segnata dal destino,

da un fato cupo e crudele, in realtà dipende da un concreto e complesso gioco di intrighi in cui l'usuraio, il sensale e il segretario comunale si muovono da maestri. Il machiavellico stratega della complessa macchinazione che sfocerà nel sequestro della casa del nespolo è don Silvestro, il quale, per conquistare la Zuppidda, deve sbarazzarsi dei possibili rivali, a cominciare da 'Ntoni. Tramite Piedipapera, egli persuade zio Crocifisso che bisogna impedire il matrimonio tra Mena e Brasi Cipolla, altrimenti Alfio, rimasto senza innamorata, prenderà in moglie la Vespa, e con lei la chiusa che sta tanto a cuore allo zio. Poi convince la Longa a rinunciare all'ipoteca dotale e promette a Venera Zuppidda, madre di Barbara, che farà nominare il marito consigliere comunale.

Il suo disegno funziona solo a metà, perché determina il declassamento dei Malavoglia, ma non ottiene il possesso della Zuppidda, che andrà sposa al ricco padron Cipolla.

Il matrimonio, che rappresenta una delle strutture basilari della società borghese ottocentesca prima dello sviluppo capitalistico, è nel romanzo verghiano un'immagine già degradata. Se per i Malavoglia è il nucleo affettivo della famiglia, il perno attorno a cui ruota la continuità patriarcale delle generazioni, per la comunità del villaggio è puro strumento di interessi economici o di ascesa sociale.

Quando si fonda su sentimenti puri e disinteressati, interviene il destino a disgregarlo, provocando la morte del marito e della moglie: Bastianazzo annega in mare e Maruzza rimane vittima del colera. Quando si ispira ad interessi economici o a motivi di necessità sociale, si degrada nel litigio quotidiano e nella schiavitú psicologica: lo zio Crocifisso finisce negli artigli fastidiosi di sua nipote Vespa e Brasi Cipolla si lascia accalappiare dalla nullatenente Mangiacarrubbe:

« "Quello che stavo dicendo qui a compare Alfio", seguitava lo zio Crocifisso vedendo accostarsi padron Cipolla, il quale andava bighellonando per la piazza come un cane di macellaio, dacché gli era entrata in casa quell'altra vespa della Mangiacarrubbe. "Non possiamo piú stare nemmeno in casa per non schiattare dalla bile! Ci hanno scacciato fuori di casa nostra, quelle carogne! hanno fatto come il furetto col coniglio. Le donne son messe al mondo per castigo dei nostri peccati. Senza di loro si starebbe meglio. Chi ce l'avrebbe detto, eh? padron Fortunato! Noi che avevamo la pace degli angeli! Guardate com'è fatto il mondo! C'è gente che va cercando questo negozio del matrimonio colla lanterna, mentre chi ci si trova vorrebbe levarsene." » (p. 261)

A cui fa eco la battuta di padron Cipolla, che vincerà la partita sposando la bella e vanitosa Zuppidda, con gli esiti che si possono immaginare:

« Il matrimonio è come una trappola di topi; quelli che son dentro vorrebbero uscire, e gli altri ci girano intorno per entrarvi » (p. 261).

Nel mondo dei *Malavoglia* i sentimenti sono sempre subordinati alla ragione economica, travolti o soffocati dalla legge spietata dell'interesse e dell'utile. Non sfugge a questa regola neppure il delicato idillio tra Mena e Alfio, dove l'amore diventa uno spazio affettivo interiore, tutto affidato alle reticenze, alle allusioni, ai silenzi, ai gesti piú che alle parole.

Si veda il primo dialogo tra i due nel II capitolo, costruito come una partitura sinfonica, dove il paesaggio funziona da cassa di risonanza armonica per il fluire dei pensieri, delle parole e degli affetti:

« Maruzza udendo suonare un'ora di notte era rientrata in casa lesta lesta, per stendere la tovaglia sul deschetto; le comari a poco a poco si erano diradate, e come il paese stesso andava addormentandosi, si udiva il mare che russava lí vicino, in fondo alla straduccia, e ogni tanto sbuffava, come uno che si volti e rivolti pel letto... Soltanto laggiú all'osteria, dove si vedeva il lumicino rosso, continuava il baccano, e si udiva il vociare di Rocco Spatu il quale faceva festa tutti i giorni.

" Compare Rocco ha il cuore contento", disse dopo

un pezzetto dalla sua finestra Alfio Mosca, che pareva non ci fosse piú nessuno.

"Oh siete ancora là, compare Alfio!" rispose Mena, la quale era rimasta sul ballatoio ad aspettare il nonno.

"Sí, sono qua, comare Mena; sto qua a mangiarmi la minestra, perché quando vi vedo tutti a tavola, col lume, mi pare di non esser tanto solo, che va via anche l'appetito."

"Non ce l'avete il cuore contento voi?"

"Eh! ci vogliono tante cose per avere il cuore contento!"

Mena non rispose nulla, e dopo un altro po' di silenzio compare Alfio soggiunse:

"Domani vado alla città per un carico di sale."

"Che ci andate poi per i Morti?" domandò Mena.

"Dio lo sa, quest'anno quelle quattro noci son tutte fradicie."

"Compare Alfio ci va per cercarsi la moglie alla città," rispose la Nunziata dall'uscio dirimpetto.

"Che è vero?" domandò Mena.

"Eh, comare Mena, se non dovessi far altro, al mio paese ce n'è delle ragazze come dico io, senza andare a cercarle lontano."

"Guardate quante stelle che ammiccano lassú!" rispose Mena dopo un pezzetto. "Ei dicono che sono le anime del Purgatorio che se ne vanno in Paradiso."

"Sentite," le disse Alfio dopo che ebbe guardate le stelle anche lui, "voi che siete Sant'Agata, se vi sognate un terno buono, ditelo a me, che ci giocherò la camicia, e allora potrò pensarci a prender moglie..."

"Buona sera!" rispose Mena.

Le stelle ammiccavano piú forte, quasi s'accendessero, e i *Tre Re* scintillavano sui *fariglioni* colle braccia in croce, come Sant'Andrea. Il mare russava in fondo alla stradicciuola, adagio adagio, e a lunghi intervalli si udiva il rumore di qualche carro che passava nel buio, sobbalzando sui sassi, e andava pel mondo il quale è tanto grande che se uno

potesse camminare e camminare sempre, giorno e notte, non arriverebbe mai, e c'era pure della gente che andava pel mondo a quell'ora, e non sapeva nulla di compar Alfio, né della *Provvidenza* che era in mare, né della festa dei Morti; — cosí pensava Mena sul ballatoio aspettando il nonno.
Il nonno s'affacciò ancora due o tre volte sul ballatoio, prima di chiudere l'uscio, a guardare le stelle che luccicavano piú del dovere, e poi borbottò: "Mare amaro!"
Rocco Spatu si sgolava sulla porta dell'osteria davanti al lumicino. "Chi ha il cuor contento sempre canta," conchiuse padron 'Ntoni. » (pp. 38-39).

La scena è costruita su un tono di *adagio* musicale. Il tema del silenzio (« il paese stesso andava addormentandosi ») è sottolineato e interrotto dalla presenza di due sensazioni uditive, « il mare che russava lí vicino » e « laggiú all'osteria [...] il baccano [...] il vociare di Rocco Spatu ». Poi inizia il dialogo, e sono le parole di Alfio che rompono il silenzio e introducono il tema del « cuore contento », riferito a Rocco Spatu. Con tecnica allusiva e antifrastica (usando, cioè, espressioni che ironicamente o eufemisticamente « definiscono » in modo opposto al significato o concetto relativo), Verga sottolinea la tristezza e la solitudine del personaggio, che affida i suoi sentimenti ai silenzi (« dopo un pezzetto », « dopo un altro po' di silenzio ») e alle allusioni (« ci vogliono tante cose per avere il cuore contento », « al mio paese ce n'è delle ragazze come dico io da sposare, senza andarle a cercare lontano »). Il matrimonio rimane per lui un progetto, un sogno che rimane tale per la sua misera condizione economica (« se vi sognate un terno buono, ditelo a me, che ci giocherò la camicia, e allora potrò pensarci a prender moglie »).
I pensieri di Mena inseguono le stelle che brillano in cielo e i carri che passano nel buio. Il suo è un amore delicato e discreto, ma intensissimo nel suo pudore, tutto affidato al ritmo del fantasticare. La sua speranza è rivolta all'estate, quando Alfio potrà lavorare anche di notte e guadagnare meglio per comprarsi un mulo e « fare il carrettie-

re davvero, come compare Cinghialenta » (p. 67). Di nuovo
scattano i pensieri amorosi di Mena, che inseguono Alfio
in viaggio col suo carretto per le strade polverose e aspet-
tano l'arrivo dell'estate:

> « Mena cogli occhi seguiva l'ombra delle nuvole che
> correva per i campi, come fosse l'ulivo grigio che
> si dileguasse » (p. 67).

L'asino di Alfio diventa il simbolo del desiderio interiore di Mena, l'oggetto delle sue proiezioni affettive:

> « Mena l'accarezzava colla mano, la povera bestia,
> ed Alfio sorrideva come se gliele facessero a lui quel-
> le carezze » (p. 66).

Cosí come il carro è il simbolo delle sue speranze e dei
suoi sogni femminili e amorosi: se nel capitolo II apre il
tema della solitudine cosmica (« andava pel mondo il quale è tanto grande che se uno potesse camminare e camminare sempre, giorno e notte, non arriverebbe mai »), diventa in seguito, dopo la partenza di Alfio, il segno tor-
mentoso della sofferenza e della perdita.

La scena del distacco, della partenza di Alfio, ribadisce
il tema della rinuncia agli affetti per il prevalere della ragione economica, e si conclude con il pianto silenzioso di
Mena:

> « Mena non diceva nulla, e stava appoggiata allo sti-
> pite a guardar il carro carico, la casa vuota, il letto
> mezzo disfatto e la pentola che bolliva l'ultima vol-
> ta sul focolare.
> "Siete là anche voi, comare Mena?" esclamò Alfio
> appena la vide, e lasciò quello che stava facendo.
> Ella disse di sí col capo, e Nunziata intanto era cor-
> sa a schiumare la pentola che riversava, da quella
> brava massaia che era.
> "Cosí son contento, che posso dirvi addio anche a
> voi!" disse Alfio.
> "Sono venuta a salutarvi," disse lei, e ci aveva il
> pianto nella gola. "Perché ci andate alla Bicocca se
> vi è la malaria?"

Alfio si mise a ridere, anche questa volta a malin-
cuore, come quando era andato a dirle addio.
"O bella! perché ci vado? e voi perché vi marita-
te con Brasi Cipolla? Si fa quel che si può, comare
Mena. Se avessi potuto far quel che volevo io, lo sa-
pete cosa avrei fatto!..." Ella lo guardava e lo guardava, cogli occhi lucenti. "Sarei rimasto qui, che fino
i muri mi conoscono, e so dove metter le mani, tanto che potrei andar a governare l'asino di notte, anche al buio; e vi avrei sposata io, comare Mena, ché
in cuore vi ci ho da un pezzo, e vi porto meco alla
Bicocca, e dappertutto ove andrò. Ma questi oramai
sono discorsi inutili, e bisogna fare quel che si può.
Anche il mio asino va dove lo faccio andare."
"Ora addio," conchiuse Mena, "anch'io ci ho come
una spina qui dentro... ed ora che vedrò sempre
quella finestra chiusa, mi parrà di averci chiuso anche il cuore, e d'averci chiuso sopra quella finestra,
pesante come una porta di palmento. — Ma cosí vuol
Dio. Ora vi saluto e me ne vado."
La poveretta piangeva cheta cheta, colla mano sugli occhi, e se ne andò insieme alla Nunziata a piangere sotto il nespolo, al chiaro di luna. » (pp. 124-
125).

Per rispettare la struttura dialogica del romanzo, anche
il paesaggio non viene mai « descritto », ma sempre « raccontato ». Questa tecnica ha la funzione di ridurre lo stac-
co tra descrizione e dialogo, di sintonizzare i livelli tonali
del personaggio e dell'ambiente, di creare un'omogeneità
stilistica che fa dei *Malavoglia* un riuscito modello di *continuum* narrativo.
Lo spazio del villaggio è dominato dalla presenza costante del mare, che sembra accompagnare come un sot-
tofondo musicale le speranze e i dolori dei pescatori. Il
mare è, nello stesso tempo, ragione di vita e di sopravvivenza economica e causa di sventura e di morte. Mutevo-
le come il tempo, cambia aspetto e colore in relazione alla
situazione meteorologica: può essere « nero come la *sciara* » (p. 47) o « liscio e lucente » (p. 50), « color di piom-
bo » (p. 150) o « verde come l'erba » (p. 150), « bianco al

pari del latte » (p. 152) o « crespo che sembrava che bollisse » (p. 152).

Il tema dei carri che passano è un altro dei *leitmotiv* del romanzo. Allude al motivo dello sradicamento e della solitudine:

« Sulla strada si udivano passare lentamente dei carri » (p. 23)

« A lunghi intervalli si udiva il rumore di qualche carro che passava nel buio, sobbalzando sui sassi » (p. 39)

« i carri cominciavano a passare di nuovo per la via » (p. 161),

o diventa simbolo della partenza definitiva, della morte, come il carro di Alfio quando porta padron 'Ntoni all'ospedale:

« il carro se ne andava lentamente sobbalzando sui sassi » (p. 267).

Il passare dei carri è anche segno del movimento ciclico della vita, nella sua continua alternanza di nascita-morte. Si veda questa scena di paesaggio primaverile, luminoso e festoso, piuttosto atipica nel romanzo:

« La Pasqua [...] era vicina. Le colline erano tornate a vestirsi di verde, e i fichidindia erano di nuovo in fiore. Le ragazze avevano seminato il basilico alla finestra, e ci si venivano a posare le farfalle bianche; fin le povere ginestre della *sciara* avevano il loro fiorellino pallido. La mattina, sui tetti, fumavano le tegole verdi e gialle, e i passeri vi facevano gazzarra sino al tramonto.
Anche la casa del nespolo sembrava avesse un'aria di festa; il cortile era spazzato, gli arnesi in bell'ordine lungo il muricciuolo e appesi ai piuoli, l'orto tutto verde di cavoli e di lattughe, e la camera aperta e piena di sole che sembrava contenta anch'essa, e ogni cosa diceva che la Pasqua si avvicinava. I

vecchi si mettevano sull'uscio verso mezzogiorno, e
le ragazze cantavano al lavatoio. I carri tornavano
a passare nella notte, e la sera si udiva un'altra volta il brusío della gente che chiacchierava nella stradicciuola » (p. 121).

Un « notturno lunare » spensierato e fantasticante introduce, con la solita tecnica antifrastica, di cui Verga è
maestro, la scena dolorosa del distacco tra Alfio e Mena:

« Era una bella sera di primavera, col chiaro di luna
per le strade e nel cortile, la gente davanti agli usci,
e le ragazze che passeggiavano cantando e tenendo-
si abbracciate. Mena uscí anche lei a braccetto della
Nunziata, ché in casa si sentiva soffocare » (p. 124).

Il destino di Alfio è un sentiero di solitudine, essendo
costretto a rinunciare al matrimonio per rispettare il senso dell'onore deturpato di Mena (sua sorella Lia è diven-
tata una prostituta). Il suo sentimento puro e disinteressato
sfocia nella rinuncia: « cosí compare Alfio si mise il cuore
in pace » (p. 272). Rimane solo come Mena, ma lui non
ha neppure il conforto di una famiglia da accudire.
    Un identico destino di solitario sradicamento, di vita
vagabonda e randagia accomuna l'ubriacone Rocco Spatu
« che tutti i giorni bisognava andare a cercare di qua e di
là, per le strade e davanti la bettola, e cacciarlo verso casa come un vitello vagabondo » (p. 273) con Lia e 'Ntoni,
« due vagabondi » smarriti « per le strade arse di sole e
bianche di polvere, che in paese non sarebbero tornati mai
piú » (p. 273).

COMMENTO CRITICO

I Malavoglia rappresentano un caso di clamorosa tra-
sgressione rispetto ai codici narrativi del romanzo del tempo. Verga ha inventato, come abbiamo visto, un modello
di tecnica stilistica nuovo anche nei confronti della poetica
naturalista. Di questa novità strutturale del libro lo scrit
tore siciliano era perfettamente consapevole, come testi-

monia questa sua lettera a Luigi Capuana dell'11 aprile
1881, cioè poche settimane dopo la pubblicazione:

« *I Malavoglia* hanno fatto fiasco, fiasco pieno e com-
pleto. Tranne Boito e Gualdo, che me ne hanno detto bene, molti, Treves il primo, me ne hanno detto
male; e quelli che non me l'hanno detto mi evitano
come se avessi commesso una cattiva azione. Dei
giornali, all'infuori del *Sole*, della *Gazzetta d'Italia
della domenica*, della *Rivista Europea* o letteraria
che sia e della *Gazzetta di Parma*, nessuno ne ha
parlato, anche i meglio disposti verso di me, e ciò
vuol dire chiaro che non vogliono spiattellarmi il *de-
profundis*. Il peggio è che io non sono convinto del
fiasco, e che se dovessi tornare a scrivere quel libro
lo farei come l'ho fatto. Ma in Italia l'analisi piú o
meno esatta senza il pepe della scena drammatica
non va: e, vedi, ci vuole tutta la tenacità della mia
convinzione, per non ammannire i manicaretti che
piacciono al pubblico per poter ridergli poi in faccia ».

Il romanzo paga il prezzo della sua straordinaria mo-
dernità con l'insuccesso. Verga questa volta non si è preoc-
cupato del pubblico, come aveva fatto nella precedente
fase della narrativa mondana; ha rinunciato al « pepe della scena drammatica » e ai « manicaretti » consumistici,
così da sconvolgere e spiazzare l'orizzonte di attesa del
lettore. Solo Capuana ha intuito il valore dell'operazione
verghiana, definendo *I Malavoglia*, in una lettera del 22
aprile 1881, « la maggiore opera narrativa italiana dopo
I promessi sposi ».

L'insuccesso del romanzo presso il pubblico borghese
del tempo si spiega benissimo con il fatto che la sua struttura dialogica, estremamente controllata nelle effusioni sentimentali e negli effetti melodrammatici, trasgredisce i codici della narrativa patetica e consolatoria diffusa nella
letteratura dell'Ottocento. La grandezza di Verga è nella
sua capacità di rappresentare le *lacrimae rerum* senza far
sgorgare le proprie o quelle dei lettori. Egli sfugge alla
tentazione del romanzo populistico ed edificante proprio

inventando una storia fortemente lacrimosa. La serie di disgrazie che si accaniscono su una famiglia di pescatori, gettandola nel lutto e nella miseria, sin quasi ad esaurire il catalogo delle possibili sventure della « povera gente », avrebbe costituito un materiale esemplare per un romanziere popolare.

Verga invece distrugge la mitologia romantica [13] del patetico-consolatorio con la novità dello stile. E per evidenziare ciò ne recupera le stesse tematiche.

L'impiego di un linguaggio parlato dà alla pagina una grande immediatezza espressiva. La formula stilistica dei *Malavoglia*, mai piú collaudata con tale coerenza e rigore nelle opere successive, è quella del « dialogo raccontato ». L'impressione di naturalezza nasce in realtà da un estremo grado di artificiosità. Verga da un lato rifiuta la letterarietà tradizionale, i modelli retorici già sperimentati, dall'altro lavora sulla pagina come pochi altri scrittori giungendo ad effetti di asciutta concentrazione stilistica, che niente concede al lirismo. Come ha rilevato Sanguineti, « nei *Malavoglia* non c'è idillio, né pastorale, né romanticismo ».[14]

Per ricostruire il codice culturale di una comunità di pescatori, Verga durante l'elaborazione del romanzo chiede a Capuana, in una lettera del 17 maggio 1878, raccolte di *Proverbi* e di *Modi di dire* siciliani. Sappiamo con certezza che consultò le opere di etnologi come Giuseppe Pitré e Santo Rapisarda.

I proverbi inseriti nel racconto — circa centocinquanta — non sono elementi folcloristici, ma hanno un valore di immagine, di simbolo, esprimono angosce, desideri e concezioni del mondo che non trovano altro modo di manifestarsi. Questo perché il proverbio contiene un alto grado di fissità ideologica e stilistica.

La concezione patriarcale della famiglia, ispirata ai valori dell'unità e della solidarietà, è tutta espressa nei proverbi di padron 'Ntoni:

---

[13] Su questi problemi del romanzo ottocentesco, mi permetto di rinviare a M. ROMANO, *Mitologia romantica e letteratura popolare. Struttura e sociologia del romanzo d'appendice*, Ravenna, Longo, 1977.

[14] E. SANGUINETI, *Prefazione* a G. VERGA, *I Malavoglia*, Roma, Editori Riuniti, 1981.

« Per menare il remo bisogna che le cinque dita
s'aiutino l'un l'altro » (p. 6),

« Gli uomini son fatti come le dita della mano: il
dito grosso deve far da dito grosso, e il dito piccolo
deve far da dito piccolo » (p. 6),

« Fa il mestiere che sai, che se non arricchisci cam-
perai » (p. 8),

« Contentati di quel che t'ha fatto tuo padre; se non
altro non sarai un birbante » (p. 8).

La lingua dei *Malavoglia*, modellata sulle cadenze del
dialetto siciliano, nasce da un procedimento di scaltrita e
raffinata letterarietà. Verga usa le cadenze iterative tipi-
che del racconto di folclore, utilizza i costrutti dialettali in
un tessuto narrativo assolutamente originale. La tecnica
piú frequente, per dare alla pagina sapore di autenticità e
immediatezza espressiva, è l'impiego del calco dialettale.
Per esempio, l'uso iterativo del « che » derivato dal *ca* siciliano, con valore non di relativo ma di congiunzione:

« Ora mettetevi il cuore in pace, *che* per cinque anni
bisogna fare come se vostro figlio fosse morto » (pp.
12-13),

« La Longa [...] gli andava raccomandando [...] di
mandare le notizie ogni volta che tornava qualche co-
noscente dalla città, *che* poi gli avrebbero mandati
i soldi per la carta » (p. 10),

« le donne vestite di seta aspettavano apposta 'Ntoni
di padron 'Ntoni per rubarselo; *che* non ne avevano
visti mai dei cetriuoli laggiú! » (p. 14),

« lo zio Crocifisso viveva imprestando agli amici,
non faceva altro mestiere, *che* per questo stava in
piazza tutto il giorno » (p. 49)

« "Compare Rocco ha il cuore contento" disse dopo
un pezzetto dalla sua finestra Alfio Mosca, *che* pareva non ci fosse piú nessuno » (p. 38),

« "Sarei rimasto qui, *che* fino i muri mi conoscono" »
(p. 125).

Verga inserisce nel « parlato » alcune espressioni tra-
dotte in italiano dal dialetto. Il « comandava le feste » (p.
7) riferito a padron 'Ntoni significa che era il capo della
famiglia e traduce il siciliano *cumannari li festi*; « pigliar-
sela in criminale » (p. 22) deriva dal siciliano *pigghiarisi li
cosi 'n criminali* e significa « aversela a male »; il proverbio « chi fa credenza senza pegno, perde l'amico, la roba
e l'ingegno » (p. 45) deriva dal motto siciliano *cui fa cri-
denza, senz'aviri pignu, perdi la robba, l'amicu e lu 'nge-
gnu*; « gli leggeva le corna » (p. 168), cioè « sparlava di
lui », deriva dall'espressione *leggiri li corna*; « non gli rom-
pevano la devozione » (p. 215) nel senso di « non lo sec-
cavano » deriva dal siciliano *nun mi rumpiri la divuziuni*.

Per rispecchiare il linguaggio e la mentalità delle « bas-
se sfere », il mondo popolare della povera gente, Verga
usa di frequente delle similitudini animalesche, che segna-
no la distanza tra l'osservatore borghese e l'orizzonte della
cultura subalterna a cui appartengono *I Malavoglia*. Ecco
all'inizio del romanzo il convoglio dei coscritti:

> « tutti quei ragazzi che annaspavano, col capo fuori
> dagli sportelli, come fanno i buoi quando sono con-
> dotti alla fiera » (p. 11).

La Longa, dopo la partenza di 'Ntoni,

> « sembrava una gatta che avesse perso i gattini » (p.
> 16),

e, mentre Bastianazzo è sulla *Provvidenza* con il mare in
burrasca,

> « non poteva star ferma un momento, e andava sem-
> pre di qua e di là, per la casa e pel cortile, che pa-
> reva una gallina quando sta per far l'uovo » (pp.
> 41-42).

I personaggi del romanzo hanno spesso un aspetto ani-
malesco, in quanto appartengono al « basso » della sfera
sociale. Padron 'Ntoni è ora « un gufo », ora « un pappagallo », ora un « uccellaccio di camposanto »; don Silve-

stro ride « come una gallina »; Rosolina è « rossa come un
tacchino »; lo zio Santoro sembra « un pipistrello »; 'Ntoni sta sulla strada « come un cagnaccio ».

Per descrivere l'orizzonte culturale dei pescatori, Verga fa ampio uso di termini tecnici del linguaggio marinaresco:

« ganza » (p. 13) = nodo scorsoio

« serrare una scotta » (p. 13) = tendere la fune che
lega la parte inferiore della vela alla barca

« alare una parommella » (p. 13) = tirare fuori dal-
l'acqua gli ormeggi

« regolo da forcola » (p. 16) = piolo che regola l'al-
tezza dello scalmo sul quale fa leva il remo

« pedagna » (p. 18) = traversina poggiapiedi della
barca

« scaffetta » (p. 18) = scomparto all'estremità della
barca, chiuso da un tramezzo di legno

« fasciame » (p. 69) = rivestimento delle barche

« rilinghe » (p. 156) = funi cucite lungo l'orlo della
vela.

Anche l'immagine antropomorfica è una caratteristica
essenziale del linguaggio primitivo, popolaresco. Il mare di
Acitrezza sembra una presenza quasi umana: sensibile alle condizioni atmosferiche, dorme, russa, muggisce e urla.

La casa e la barca, i due simboli della sopravvivenza
economica dei Malavoglia e quindi della continuità della
tradizione familiare, s'identificano soprattutto nei momenti di sventura e di miseria:

« la casa dei Malavoglia era una barca che faceva acqua da tutte le parti » (p. 57)

« la casa del nespolo fa acqua davvero da tutte le
parti, come una scarpa rotta » (p. 138).

Anche il ruolo dei soprannomi, in una comunità paesana come Acitrezza, assume un'importanza decisiva per

la caratterizzazione dei personaggi. Piedipapera si chiama
cosí perché è zoppo; lo zio Crocifisso è detto Campana
di legno per la sua sordità (« dimenava il capo che pareva una campana senza batacchio »); Mena è soprannominata Sant'Agata per la sua laboriosità; la Zuppidda deve
il nomignolo a un infortunio capitato al nonno; Maruzza
è detta la Longa per antifrasi, in quanto è una donna piccina. Un soprannome antifrastico connota l'intrigante e
smaniosa Santuzza, detta Suor Mariangela, la tenace fami-
miglia Toscano, detta Malavoglia, e la disgraziata barca,
detta Provvidenza.

Con il progetto ciclico dei « Vinti » Verga intendeva
analizzare gli effetti disgreganti del progresso a tutti i livelli della scala sociale. La molla che muove gli individui è
la « ricerca del meglio », che diventa « lotta pei bisogni
materiali » nei *Malavoglia*, « avidità di ricchezza » nel *Mastro Don Gesualdo*, « vanità aristocratica » nella *Duchessa de Leyra*, « ambizione » nell'*Onorevole Scipioni*, intrecciato meccanismo di « bramosíe », « vanità » e « ambizioni » nell'*Uomo di lusso*. Se è vero, come afferma lo stesso
Verga nella prefazione al romanzo, che nei *Malavoglia* il
meccanismo delle passioni è meno complicato rispetto a
quello che regola il mondo borghese e aristocratico, poi
di fatto la struttura dell'intreccio riflette un mondo di pescatori per nulla ordinato e armonico, ma lacerato da frat-
ture e trasgressioni. Ci troviamo di fronte ad un universo
sociale in via di trasformazione capitalistica, rappresentato come un labirintico campo di tensioni, come il luogo
di una competizione selvaggia.

La zona privilegiata di tutte le tensioni è la famiglia, in
cui si scontrano preoccupazioni materiali e valori affetti-
vi. Da questo punto di vista il romanzo registra la crisi
che disgrega l'istituto familiare preborghese, come unità
economica basata sull'apporto lavorativo di tutti i membri
e cementata da una solidarietà garantita dalla saggezza e
dall'autorità del *pater*. Nella figura di padron 'Ntoni, il ca-
pofamiglia, s'identificano i valori dell'uomo onesto e saggio e del padre esemplare. Ma, per la sua stessa età avan-
zata, nonno anziché padre, appare un uomo in ritardo
rispetto ai tempi. Egli offre una lezione di onesta laboriosità e lotta tenacemente contro il destino avverso, ma in

realtà commette una serie di errori. Infatti non si rivela in grado né di provvedere al benessere economico della famiglia — da pescatore si trasforma in commerciante senza possederne l'astuzia e l'avvedutezza, come dimostra il negozio dei lupini avariati — né di interpretare e difendere le esigenze affettive dei familiari — sacrifica i sentimenti purissimi di Mena per Alfio, sentimenti che mostra addirittura di ignorare, alla legge economica del matrimonio di convenienza con lo sciocco Brasi.

La lettura de *I Malavoglia* come romanzo sociale è confermata sia dall'impegno antropologico dell'autore e da alcuni non casuali riferimenti storici (la battaglia di Lissa, il colera), sia dalla problematica economico-sociale che regola l'orizzonte culturale dell'ambiente arcaico-rurale di Acitrezza.

La molla dinamica del meccanismo narrativo è la questione della leva e dei danni che essa arreca all'economia meridionale (in Sicilia, sotto i Borboni, non c'era la coscrizione obbligatoria, che fu imposta invece dopo la proclamazione dell'unità d'Italia):

> « Il re faceva cosí, che i ragazzi se li pigliava per la leva quando erano atti a buscarsi il pane; ma sinché erano di peso alla famiglia, avevano a tirarli su per soldati » (p. 16).

Nel secondo capitolo si accenna al problema della decadenza dei pescatori siciliani, che, per campare, facevano affidamento solo sulla loro barca, mentre dopo l'unità si trovano a dover fronteggiare la concorrenza dei grandi imprenditori di pesca del nord, che usano i battelli a vapore.

Nel terzo capitolo si accenna alle gravi conseguenze negative della tassa del sale, e nel settimo capitolo viene descritta la rivolta delle donne contro il dazio sulla pece. Quest'ultimo episodio è una spia significativa dell'atteggiamento ideologico di Verga. Sul piano politico, egli condivide il moto di rinnovamento che ha portato all'unità nazionale, senza tentazioni nostalgiche per l'*ancien régime* dei Borboni. Ma sul piano sociale è ostile al nuovo assetto borghese capitalistico che s'era instaurato nel paese. La nuova classe dirigente continua a esercitare forme di autoritarismo sotto una vernice democratica. Verga testimonia come stanno le cose in uno sperduto paesino della Sicilia, dove sono da poco arrivati il telegrafo e la ferrovia. Il sindaco, mastro Croce Callà, è un povero inetto, il segretario comunale un astuto e furbo alleato dei padroni e il consiglio comunale una formale finzione legale.

La protesta popolare è velleitaria e sterile, con gli uomini a ubriacarsi all'osteria o « a guardare dalla finestra la rivoluzione che facevano le mogli » (p. 97), e le donne a strepitare sulla strada e a minacciare di cavare gli occhi a tutti.

Il sindaco è ridotto a macchietta, a comica marionetta:

« "Non lo vedete che si servono di voi come di un burattino?" gli diceva sua figlia Betta coi pugni sui fianchi. "Ora che vi hanno messo nell'impiccio, vi voltano le spalle, e vi lasciano solo a sgambettare nel pantano; ecco quel che vuol dire farsi menare pel naso da quell'imbroglione di don Silvestro."
"Io non mi lascio menar per il naso da nessuno!" saltava su Baco da seta. "Il sindaco lo faccio io, e non don Silvestro."
Don Silvestro diceva invece che il sindaco lo faceva sua figlia Betta, e mastro Croce Callà portava i calzoni per isbaglio. Cosí, fra tutt'e due, il povero Baco da seta stava fra l'incudine e il martello. Adesso poi che era venuta la burrasca, e tutti lo lasciavano a strigliare quella mala bestia della folla, non sapeva piú da che parte voltarsi. » (p. 100).

Verga svela i biechi meccanismi del potere parlamentare nel colloquio fra il sindaco e la figlia Betta:

« "Il ripiego ve lo trovo io," rispondeva Betta. "Non lo vogliono il dazio sulla pece? E voi lasciatelo stare."
"Brava! e i denari di dove si prendono?"
"Di dove si prendono? Fateli pagare a chi ne ha, allo zio Crocifisso, a mo' d'esempio, o a padron Cipolla, o a Peppi Naso."
"Brava! se sono loro i consiglieri!"

"Allora mandateli via e chiamatene degli altri; già
non saranno loro che vi faranno restare sindaco
quando tutti gli altri non vi vorranno piú. Voi dovete far contenti quelli che sono in maggior numero."
"Ecco come discorrono le donne! Quasi fossero quelli che mi tengono su! Tu non sai nulla. Il sindaco lo
fanno i consiglieri, e i consiglieri non possono essere che quelli e non altri. Chi vuoi che facciano? i
pezzenti di mezzo alla strada?"
"Allora lasciate stare i consiglieri e mandate via il
segretario, quell'imbroglione di don Silvestro."
"Brava, e chi lo fa il segretario? chi lo sa fare? Tu
o io, o padron Cipolla? sebbene sputi sentenze peggio di un filosofo!" » (p. 104).

Sarà l'astuto don Silvestro a trovare il mezzo per mettere a tacere il piú pericoloso fra gli oppositori, cioè il calafato, promettendo alla moglie Venera Zuppidda, che guida la rivolta delle donne, un assessorato per il marito e
insegnandole come questi dovrà comportarsi per non ve-
nir danneggiato dalla tassazione:

« "Infine che volete?" le disse come furono soli, "a
voi che ve ne importa se mettono il dazio sulla pece? forse che lo pagate voi o vostro marito? o non
debbono pagarlo piuttosto quelli che hanno bisogno
di far accomodare le loro barche? Sentite a me: vostro marito è una bestia ad essere in collera col municipio, e a far tutto questo chiasso. Ora si devono
fare gli assessori nuovi, in cambio di padron Cipolla
e di massaro Mariano, che non valgono niente, e si
potrebbe metterci vostro marito."
"Io non ne so nulla," rispose la Zuppidda, calma-
tasi tutt'a un tratto. "Io non me ne immischio negli
affari di mio marito. So che si mangia le mani dalla
collera. Io non posso far altro che andare a dirglielo, se la cosa è certa."
"Andate a dirglielo, è certo come è certo Dio, vi dico! Siamo galantuomini o no? Santissimo diavolo!"
(p. 106).

Questo dialogo smaschera la struttura plutocratica del potere, che riduce a una condizione di assoluto sfruttamento i ceti popolari, escludendoli da ogni forma di partecipazione democratica.

Come emerge dalla rivolta per il dazio sulla pece, degradata a una bega di comari pettegole, aizzate dall'odio personale della Zuppidda contro don Silvestro, Verga non crede nella rivoluzione, perché tanto il mondo non cambierà mai, e sempre ci saranno forti e deboli, governanti e governati, e sempre prevarrà la legge della violenza e dell'interesse.

Acitrezza offre il quadro di una comunità socialmente differenziata. Agli ultimi gradini della gerarchia c'è la Locca, semideficiente e incapace di lavorare; poi ci sono i giornalieri come compare Mangiacarrubbe, che lavora nella paranza di padron Cipolla, Rocco Spatu, che fa il perdigiorno, ma « se volesse lavorare, se lo buscherebbe il pane », e Alfio Mosca, che quando non trova lavoro come carrettiere, si adatta ad altre mansioni, per esempio spaccando legna nel cortile dello zio Crocifisso; mentre Nunziata e la cugina Anna fanno le lavandaie per mantenersi. C'è poi la classe intermedia degli artigiani, dei commercianti e degli impiegati, come Turi Zuppiddo (calafato), Vanni Pizzuto (barbiere e bottegaio), Santuzza e il padre Santoro (gestori di osteria), mastro Cirino (sagrestano, bidello e inserviente comunale), don Michele (guardia doganale), Agostino Piedipapera (sensale). Al vertice della scala sociale ci sono i ricchi proprietari e imprenditori come massaro Filippo, Peppi Naso, padron Cipolla, lo zio Crocifisso e don Silvestro.

In una società dominata dal lavoro manuale, è molto ristretto il gruppo degli intellettuali, formato da don Giammaria (il prete), don Franco (lo speziale), don Ciccio (il medico) e Scipioni (l'avvocato). I Malavoglia, almeno all'inizio del romanzo, prima che si metta in moto il processo irreversibile della catastrofe, si collocano in una posizione intermedia, come proprietari di una barca da pesca e lavoratori in proprio. La loro posizione economica non è delle piú solide, anche perché l'economia di Trezza non è fondata principalmente sulla pesca (i pescatori sono numerosi, ma la minaccia della crisi è incombente), ma sulla

agricoltura: i piú ricchi del paese sono infatti proprietari
di terre, e fondano la loro ricchezza su queste proprietà.

È chiara quindi la programmatica volontà, da parte del
Verga, di esercitare l'indagine su una realtà sociale ed economica contemporanea — nella fattispecie il sistema arcaico e immobile del villaggio, disgregato dalle nuove tra-
sformazioni dell'Italia postunitaria — attentamente esplo-
rata nei suoi meccanismi interni. Ci pare quindi del tutto
sviante e miope l'interpretazione di Masiello, che considera
Acitrezza come « un mondo piuttosto recuperato dalla in-
tenerita memoria e sospeso in difficile equilibrio al margine
estremo tra realtà e mito, che non sottoposto ad una volontà di inchiesta e di indagine ravvicinata ».[15]

L'irripetibile originalità di struttura dei *Malavoglia* nasce dalla tensione dialettica tra il populismo romantico e il
pessimismo naturalistico. Verga evita il rischio, da un lato,
di cadere nel patetismo lacrimoso, nella mitizzazione del
mondo rurale di un Carcano, di un Dall'Ongaro o di una
Caterina Percoto, dall'altro, di impegnarsi in una funzione
progressista della letteratura come Zola.

Il cupo fatalismo, il pessimismo desolato che percorro-
no le pagine del romanzo nascono proprio, come osserva
Baldi, dal legame del verismo verghiano con le strutture
statiche e conservatrici della proprietà agraria meridionale.[16]

I complessi rapporti tra arte e ideologia trovano in Verga un acuto interprete, come testimonia la sua lettera del
19 febbraio 1881 all'amico Capuana, nell'imminenza della
pubblicazione dei *Malavoglia*, in cui gli annuncia l'invio
in anteprima, da parte dell'editore, di una copia del romanzo:

> « Che cos'è non il tuo nome, né il mio, ma quel del
> Manzoni, o di Zola, in faccia ai *Promessi Sposi* e
> all'*Assommoir*? L'opera d'arte non val piú dell'auto-
> re? se è riuscita, ben inteso. Parmi che si deve arri-
> vare a sopprimere il nome dell'artista dal piedistal-
> lo della sua opera, quando questa vive da sé... ».

[15] V. MASIELLO, *Verga tra ideologia e realtà*, cit., p. 69.
[16] G. BALDI, *L'artificio della regressione*, cit., p. 120.

Per Verga l'opera letteraria è piú importante dello scrittore, in quanto vive di vita autonoma e, se è veramente grande, gli sopravvive attraverso i secoli e continuerà ad essere letta dalle generazioni future. Egli è pienamente cosciente dello scarto esistente tra l'ideologia dello scrittore e quella dell'opera, come osserva in una lettera a Colajanni del 19 novembre 1891:

« Io, tenuto per rivoluzionario in arte, sono inesorabilmente codino in politica ».

Anche la critica marxista ha messo in evidenza lo scarto tra la posizione ideologica di Verga e il messaggio della sua opera. Per Asor Rosa il paradosso dell'arte verghiana nasce dal fatto che « proprio il rifiuto della speranza populista e delle suggestioni socialiste porta lo scrittore siciliano alla rappresentazione piú convincente che del mondo popolare sia stata data in Italia durante tutto l'Ottocento ».[17] L'ideologia conservatrice non diventa un limite artistico per lo scrittore, che non sceglie la strada della protesta e della speranza, ma quella della conoscenza e della consapevolezza. Già i critici contemporanei, come Francesco Torraca, proponevano una lettura sociologica dei *Malavoglia*, affermando che le vicende del libro avrebbero aiutato « al pari degli scritti dei Franchetti e dei Sonnino, a far conoscere le condizioni sociali della Sicilia ».[18] Secondo Asor Rosa, « il rifiuto di un'ideologia progressista costituisce la fonte, non il limite della riuscita verghiana ».[19]

La contraddizione è quindi solo apparente, in quanto la lente dello scrittore va al di là dei suoi pregiudizi di classe, gli permette una visione straniata dei fatti, lo pone in una posizione di distanza rispetto agli eventi narrati. Un identico fenomeno avevano già rilevato Marx ed Engels a proposito di Balzac che, legittimista e monarchico in politica, nei suoi romanzi sottopone il ceto aristocratico della Restaurazione ad una satira corrosiva e pungente.[20]

[17] A. Asor Rosa, *Scrittori e popolo*, cit., p. 60.
[18] F. Torraca, *I Malavoglia*, in « La rassegna », 9 maggio 1881.
[19] A. Asor Rosa, *op. cit.*, p. 61.
[20] K. Marx - F. Engels, *Scritti sull'arte*, trad. it., Bari, Laterza, 1967, pp. 161-162.

Verga si rivela un sismografo attento e spietato della realtà storico-sociale del suo tempo, ne distrugge i miti con la carica corrosiva del suo pessimismo fatalistico e con ¹a denuncia disperata della disumanità della *ratio* economica. Inserendo nel tessuto narrativo i discorsi sulla ferrovia e il telegrafo, sulle tasse, sulle navi a vapore, sulla crisi della pesca, sul dazio della pece, sulla coscrizione obbligatoria, lo scrittore siciliano registra la disgregazione del mondo statico di Acitrezza per le tensioni dinamiche di un momento di rapida trasformazione della società italiana negli anni immediatamente successivi alla unità.

I Malavoglia non vanno letti come un libro mitico, fuori della storia, di evasione nostalgica verso un mondo perduto di valori, ma come un romanzo di notevole spessore sociologico. Verga non è né un progressista, né un reazionario: la sua visione del mondo esclude sia la speranza in un miglioramento futuro della società, sia il rimpianto di un mondo passato, ma si traduce in un'analisi lucida e demitizzante del reale.

Il suo disperato pessimismo non offre alternative, né finzioni consolatorie, ma una lucida esplorazione del « negativo » in cui è immerso l'uomo nella sua esistenza quotidiana: la disumanità dell'interesse economico, le sofferenze prodotte dalla darwiniana « lotta per la vita », la brutalità dell'oppressione sui ceti subalterni, la miseria e la degradazione umana della povera gente, i diritti della forza e della sopraffazione. Forse anche per questo il pubblico borghese del tempo ha rifiutato il successo a un romanzo che non gli permetteva di esorcizzare i « mostri » della coscienza, di trovare fughe evasive o gratificanti.

L'infrazione al codice del romanzo ottocentesco testimonia l'originalità innovativa dei *Malavoglia,* una struttura narrativa tutta giocata sul costante rifiuto del romanzesco, del colpo di scena e di ogni forma di *suspense.* A Verga non interessa suscitare la tensione del lettore con la dinamica imprevedibile dell'intreccio, ma rappresentare una molteplicità di punti di vista attraverso la pluridiscorsività del linguaggio. Anche l'effetto ritardante ha questa funzione: fra la partenza della barca (I capitolo) e la notizia del naufragio (III capitolo) vengono intercalati i cicalecci delle comari e le chiacchiere dell'osteria (II capitolo). La morte di Bastianazzo viene già anticipata al momento dell'imbarco:

> « Menico della Locca, il quale era nella *Provvidenza* con Bastianazzo, gridava qualche cosa che il mare si mangiò. "Dice che i denari potete mandarli a sua madre, la Locca, perché suo fratello è senza lavoro;" aggiunse Bastianazzo, e questa fu l'ultima sua parola che si udí. » (p. 19).

Anche la morte di Luca viene anticipata dal narratore:

> « quando giunse piú tardi la notizia che era morto, alla Longa le rimase quella spina che l'aveva lasciato partire colla pioggia, e non l'aveva accompagnato alla stazione » (pp. 89-90).

Identico procedimento viene attuato per la morte della Longa, che si prende il colera:

> « non sapeva che doveva partire anche lei quando meno se lo aspettava, per un viaggio nel quale si riposa per sempre, sotto il marmo liscio della chiesa » (p. 189).

Mentre il romanzo ottocentesco si fonda sulla netta distinzione fra episodi importanti ed episodi secondari, non esistono nei *Malavoglia* momenti privilegiati rispetto ad altri, e la differenziazione tra ciò che è « importante » e ciò che è « accessorio » tende a scomparire. Un avvenimento « importante » come la partenza della barca per il suo tragico viaggio viene messo sullo stesso piano degli « stivaletti nuovi » che il sagrestano era andato a portare al segretario comunale:

> « La *Provvidenza* partí il sabato verso sera, e doveva esser suonata l'avemaria, sebbene la campana non si fosse udita, perché mastro Cirino il sagrestano era andato a portare un paio di stivaletti nuovi a don Silvestro il segretario » (p. 18).

Cosí come non c'è differenza, nel *continuum* narrativo
del racconto, tra l'idillio di Alfio e Mena, che coincide
con i momenti piú lirici del romanzo, e la commedia amorosa della Vespa, della Mangiacarrubbe, di Barbara Zuppidda e della « rabbia del marito » di donna Rosolina.
L'originale impianto stilistico dei *Malavoglia*, costruito sul
costante impiego di discorso diretto, indiretto e indiretto
libero, dà luogo alla « straordinaria proliferazione del parlato »[21] e crea, come ha osservato Sanguineti, « l'archetipo di una prosa che nasce dall'ascolto e soprattutto per
l'ascolto ».[22] Verga inventa cosí un modello di scrittura sperimentale, fondata sull'oralità della parola, che liquida definitivamente la tecnica della fabulazione romantica e anticipa alcune soluzioni del romanzo novecentesco (si pen-
si, come esempio indicativo, al Vittorini di *Conversazione
in Sicilia*).

Il destinatario delle « voci » dei personaggi è infatti
sempre ambiguo, nel senso che non si capisce mai fino a
che punto essi dialogano tra di loro o si rivolgono al lettore. Si vedano i commenti del villaggio dopo la burrasca
che ha travolto la *Provvidenza* e ferito gravemente padron
'Ntoni:

« "La faccia non mi piace niente affatto!" sentenzia-
va padron Cipolla, scrollando il capo; "come vi sentite, compare 'Ntoni?"

"Per questo padron Fortunato non gli ha voluto dare il figlio alla Sant'Agata," diceva intanto la Zuppidda, che l'avevano lasciata sulla porta. "Ha il naso fine quell'omaccio!"

E la Vespa aggiungeva:

" 'Chi ha roba in mare non ha nulla.' Ci vuole la
terra al sole, ci vuole."

"Che notte è venuta pei Malavoglia!" esclamava comare Piedipapera.

"Avete visto, che tutte le disgrazie in questa casa
arrivano di notte?" osservò padron Cipolla, uscendo

[21] A. LANCI, *I Malavoglia - Analisi del racconto*, in « Trimestre »,
n. 2-3, marzo-giugno 1971, p. 387.
[22] E. SANGUINETI, *Un romanzo dell'adesso*, in « Rinascita », 27 marzo
1981, p. 21.

dalla casa con don Franco e compare Tino.
"Per buscarsi un pezzo di pane, poveretti!" aggiungeva comare Grazia. » (p. 159).

Il coinvolgimento del lettore nel sistema del racconto
supera le barriere fabulative tradizionali, nel senso che
elimina la frattura fra interno ed esterno, e dà ai *Malavoglia* la moderna struttura di un romanzo al quadrato.
La sfiducia verghiana in qualsiasi possibilità o speranza di miglioramento e di progresso, la sua estraneità ai
miti « progressivi » dell'Italia ufficiale e industriale spiega
l'importanza centrale che assume il tema della rinuncia,
della rassegnata accettazione delle cose, nell'ideologia del
romanzo. Nella silenziosa accettazione della sventura di
Mena, nella disperazione angosciosa di Maruzza, si sente
l'eco della condizione antropologica siciliana, immersa in
uno stato di passività mediterranea molto vicina al mondo
arabo. L'emarginazione sociale dei Malavoglia è il simbolo
dell'emarginazione millenaria dei ceti subalterni, che da
sempre sono consapevoli che i giochi di potere si fanno in
alto e ogni tentativo di ribellione è sterile. Le masse si-
ciliane vedono la politica come la dimensione in cui i ceti
privilegiati hanno secolarmente esercitato l'arte dell'inganno ai danni dei diseredati.
La comunità di Acitrezza è un mondo in cui l'idea di
giustizia è comicamente degradata, ridotta a parola vuota
di senso o a finzione che maschera interessi egoistici. Questo perché Verga sa benissimo che il valore della giustizia,
concretamente operante, esiste solo in una società utopi-
ca. Chi si ribella o vuole essere *altro* da quello che è, come 'Ntoni, si emargina dalla totalità chiusa della cultura
arcaica. Il suo processo di sradicamento serve a meglio
sottolineare la continuità e ripetitività ciclica della vita del
villaggio. Questo il senso della sua ultima battuta, che chiude il romanzo:

« Ora è tempo d'andarsene, perché fra poco comin-
cierà a passar gente. Ma il primo di tutti a cominciar la sua giornata è stato Rocco Spatu. » (p. 276)

Nell'evoluzione del romanzo italiano *I Malavoglia* rappresentano un modello originalissimo e irripetibile di struttura narrativa, dove l'artificio che fa scattare la storia è tutto affidato al gioco della parola. Non è il fatto, l'evento che costituisce il materiale del racconto, ma l'effetto verbale provocato nei destinatari che da quei fatti sono colpiti. La coincidenza tra narratore popolare e personaggi, che appartengono a un identico orizzonte culturale e antropologico, a un medesimo patrimonio di narrazioni orali e storie folcloriche, segna l'estrema distanza tra lo scrittore Verga e il suo pubblico borghese e colto. Di qui l'insuccesso clamoroso del romanzo.

I PERSONAGGI

Per non infrangere la struttura dialogica e polifonica del romanzo, Verga rinuncia a presentare i personaggi attraverso un ritratto fisico e psicologico, trasgredendo quindi i canoni piú diffusi della narrativa ottocentesca europea.

Il personaggio è nei *Malavoglia* una « voce » narrante all'interno del « coro » di Acitrezza. Verga era perfettamente consapevole del senso di « confusione » e di disorientamento che una tecnica del genere avrebbe determinato nel lettore, come osserva in una lettera al Capuana del 25 febbraio 1881:

> « Che la confusione che dovevano produrvi in mente alle prime pagine tutti quei personaggi messivi faccia a faccia senza nessuna presentazione, come se li aveste conosciuti sempre, e foste nato e vissuto in mezzo a loro, doveva scomparire man mano col progredire della lettura, a misura che essi vi tornavano davanti, e vi si affermavano con nuove azioni ma senza *messa in scena*, semplicemente, naturalmente, era artificio voluto e cercato anch'esso, per evitare, perdonami il bisticcio, ogni artificio letterario, per darvi l'illusione completa della realtà. »

Le indicazioni sull'aspetto fisico dei personaggi sono estremamente limitate e vengono fornite non al primo apparire delle varie figure, per evitare appunto l'artificio della « messa in scena », ma quando esse sono già familiari al lettore, filtrate quasi sempre da interventi del personaggio stesso o, piú di frequente, di altri personaggi.

Della Longa sappiamo solo che era « una piccina che badava a tessere, salare le acciughe, e far figliuoli, da buona massaia » (p. 7), e il nomignolo ha quindi una funzione antifrastica. Anche dell'aspetto di Mena, « soprannominata "Sant'Agata" perché stava sempre al telaio » (p. 8), non sappiamo assolutamente nulla. Della Lia, che all'inizio del romanzo è solo una bambina, ci viene detto al XIII capitolo che « si era fatta una bella ragazza anche lei » (p. 217). Nunziata, anche lei bambina all'inizio della storia, diventa verso la fine « una ragazza alta e sottile come un manico di scopa, coi capelli neri, e gli occhi buoni buoni » (p. 259).

La Longa rimane impressa nella memoria del lettore nel momento della morte per colera, con « il viso disfatto e affilato al pari di un coltello » (p. 192). Viene sottolineato, con tecnica ripetitiva, un identico effetto visivo su Alessi:

> « Alessi non se la levò piú davanti agli occhi, la sua mamma, con quei capelli bianchi, e quel viso giallo e affilato come un coltello, nemmeno quando arrivò ad avere i capelli bianchi anche lui. » (p. 192)

Gli altri personaggi femminili del romanzo sono anch'essi caratterizzati da scarsi particolari fisici, per lo piú attraverso le battute di altri personaggi. La Mangiacarrubbe è, secondo quella malalingua della Zuppidda, « una sfacciata che si è fatto passare tutto il paese sotto la finestra » (p. 28), e si mormora tra la gente di Acitrezza delle sue relazioni amorose con Vanni Pizzuto, Peppi Naso, Cinghialenta e Rocco Spatu. Al XII capitolo viene descritta come « una bella ragazza con tanto di spalle » (p. 200), con le « trecce nere » e gli « occhioni neri », che « stava alla finestra, e cambiava ogni giorno fazzoletti di seta, e collane di vetro, come una regina » (p. 201). Con le sue smaliziate arti da civetta riesce a intrappolare nel matrimonio d'interesse lo sciocco e ricco Brasi Cipolla:

« La Mangiacarrubbe sapeva quel che doveva fare se si voleva pigliare Brasi Cipolla, ora che suo padre se l'era rimorchiato di nuovo in casa pel coléra, e non andava a nascondersi piú nella *sciara*, o per le chiuse, o dallo speziale e nella sacristia. Ella gli passava davanti lesta lesta, colle scarpette nuove; e passando si faceva urtare nel gomito, in mezzo alla folla che veniva dalla messa; oppure lo aspettava sulla porta, colle mani sul ventre, e il fazzoletto di seta in testa, e gli lasciava andare un'occhiata assassina, di quelle che rubano il cuore, e si voltava ad aggiustarsi le cocche del fazzoletto sul mento per vedere se le veniva dietro; o scappava in casa com'ei compariva in capo alla straduccia, e andava a nascondersi dietro il basilico ch'era sulla finestra, con quegli occhioni neri che se lo mangiavano di nascosto. Ma se Brasi si fermava a guardarla come un bietolone, gli voltava le spalle, col mento sul petto, tutta rossa, e gli occhi bassi, masticandosi la cocca del grembiule, che ognuno se la sarebbe mangiata per pane. » (pp. 200-201).

La Vespa invece ha un « grugno di porco » ed è « vecchia e spelata » (p. 200). La Santuzza è caratterizzata dal « petto prepotente » (p. 56) e da due seni abbondanti come « cuscini »; mentre donna Rosolina, la sorella del prete, « con tutti quegli anni e quella carne che ci ha addosso », è ossessionata, secondo la Zuppidda, dalla « rabbia del marito » (p. 29) e appare, a seconda dei suoi umori e del punto di vista di chi la osserva, ora « rossa come un tacchino » o « come la conserva dei pomodori », ora « verde come l'aglio ».

Dell'avvenenza di Barbara Zuppidda si accenna piú volte nel corso della vicenda, ma bisogna attendere una battuta di Vanni Pizzuto, nel capitolo VIII, per averne qualche indizio concreto:

« Che pezzo di ragazza, per la madonna! E come cammina col naso nella mantellina, che pare un fuso! » (p. 115).

Sua madre, comare Venera, ha gli « occhietti gialli »

ed è « gialla come il limone », dove il colore ricorrente è segno del carattere bilioso del personaggio. Pettegola e maligna, sibila come un serpe, va « tutto il giorno in giro a piedi scalzi, a far la spia » (p. 28), saetta « occhiatacce di qua e di là, che pareva ce l'avesse con tutto il paese » (p. 44) e viene considerata dalla gente « una lingua d'inferno, di quelle che lasciano la bava » (p. 28).

Quasi nulla viene detto sull'aspetto fisico dei personaggi maschili, eccezion fatta per Bastianazzo, « grande e grosso quanto il san Cristoforo che c'era dipinto sotto l'arco della pescheria della città » (p. 7), e per don Franco, caratterizzato attraverso « le gambette » e « la barbona ». I belli del villaggio sembrano essere 'Ntoni Malavoglia e Vanni Pizzuto, ma la loro prestanza è semplicemente affermata, non descritta.

La dimensione psicologica dei personaggi non è mai univoca, ma sempre sfaccettata e rifranta attraverso il gioco dei diversi punti di vista, che ne evidenziano la costante ambiguità.

Lo zio Crocifisso, chiamato cosí perché « piagnucolava sempre, e si lamentava come Cristo in mezzo ai ladroni » (p. 32), viene fissato nella sua truffaldina ambiguità attraverso lo splendido ritratto ironico e antifrastico che abbiamo già analizzato, costruito secondo la tecnica dell'incrocio delle prospettive.

I personaggi del romanzo si costruiscono nel gioco intrecciato delle relazioni interpersonali. Come ha rilevato Lanci, « la psicologia delle figure dei *Malavoglia* è tutta in ciò che esse pensano o dicono di loro stesse e in ciò che di loro dicono o pensano gli altri ».[23]

Verga rifiuta sistematicamente lo psicologismo, e mostra di non sapere dei personaggi piú di quanto essi sappiano di loro stessi. Il lettore viene informato solo di ciò che il personaggio può avere visto o udito. È il linguaggio a funzionare da filtro trasparente o allusivo delle idee, degli affetti e degli atteggiamenti del personaggio. E quasi sempre lo cristallizza in una fissità ieratica, che rimane impressa nella memoria del lettore.

Maruzza, che subisce con rassegnazione la miseria, la

[23] A. LANCI, *I Malavoglia - Analisi del racconto*, cit., p. 387.

fatica, la sofferenza e la morte, viene sempre paragonata
alla Madonna Addolorata. Silenziosa sacerdotessa del fo-
colare domestico, alla morte di Luca viene presa da

> « una gran devozione per l'Addolorata che c'è sul-
> l'altare della chiesetta, e le pareva che quel corpo
> lungo e disteso sulle ginocchia della madre, colle co-
> stole nere e i ginocchi rossi di sangue, fosse il ritrat-
> to del suo Luca, e si sentiva fitte nel cuore tutte quel-
> le spade d'argento che ci aveva la Madonna. » (p.
> 137).

Lo zio Crocifisso è ritratto quasi sempre « colle spalle
al muro ». Questa sua posizione abituale è il segno del suo
atteggiamento da vittima, mentre in realtà è lui che, con la
sua avidità da usuraio, mette gli altri in situazioni difficili:

> « seguitava a borbottare e brontolare *colle spalle al
> muro*, e le mani ficcate nelle tasche [...] Don Sil-
> vestro sudò una camicia per fargli entrare in testa
> che infine i Malavoglia non potevano dirsi truffato-
> ri, se volevano pagare il debito, e la vedova rinun-
> ziava all'ipoteca. "I Malavoglia si contentano di re-
> stare in camicia per non litigare; ma se li mettete
> *colle spalle al muro* [...]" » (p. 86).

Don Franco, quando si ritira nella spezieria a prepa-
rare le medicine, va sempre a « pestare acqua nel mor-
taio ». L'espressione, molte volte ripetuta nel romanzo a
proposito di questo personaggio, allude spesso alla sua ciar-
lataneria:

> « lo speziale [...] veniva a fumare la sua pipa sulla
> riva, dopo desinare, e *pestava l'acqua nel mortaio*
> che cosí il mondo non andava bene, e bisognava but-
> tare in aria ogni cosa, e rifar da capo. » (p. 209).

La *bêtise* di don Franco affiora nella sua marionetti-
stica sottomissione alla moglie, che lo definisce « uno sciocco » che non sa fare i propri affari, « uno di quei grulli
che abbaiano alla luna » (p. 180), un « chiacchierone ». Lo

speciale è un repubblicano che parla male del governo e si considera un intellettuale innovatore (fa leggere a 'Ntoni il « Secolo » e la « Gazzetta di Catania » per istruirlo). Verga rappresenta con spietata ironia la sua ansia rivoluzionaria puramente verbale e ce lo mostra mentre fa l'occhiolino alle ragazze discutendo con don Silvestro sull'uscio della sua bottega.

La furbizia di don Silvestro, che praticamente fa il sindaco, ma ha scelto il ruolo di segretario comunale per non compromettersi, si maschera dietro la sua « risata [...] che faceva andare in bestia la gente » (p. 33). Quel « rideva come una gallina » è un atteggiamento ripetitivo che lo cristallizza nella memoria del lettore e rivela in lui il maestro della furfanteria e della doppiezza. Col procedere del racconto, veniamo infatti a sapere che è un « briccone matricolato » (p. 171), uno stratega dell'inganno che indirettamente muove le fila del contrabbando. Come osserva lo speziale, « don Silvestro è di quelli che tengono il manico del mestolo » (p. 265).

Ai convegni amorosi tra la Santuzza e massaro Filippo, essendo l'ostessa una devota ipocrita (è infatti soprannominata « Suor Mariangela »), si allude sempre con queste espressioni metaforiche: « dirsi insieme il santo rosario » (p. 22), « recitare il rosario » (p. 37), « dire le orazioni » (p. 168).

Il brigadiere don Michele è sempre descritto, con iterativa insistenza, attraverso i particolari figurativi della « pistola sulla pancia » e dei « calzoni dentro gli stivali », che gli dànno un atteggiamento guappesco:

« il brigadiere delle guardie doganali, il quale andava attorno colla *pistola sullo stomaco*, e i *calzoni dentro gli stivali*, in cerca di contrabbandieri » (p. 37),

« don Michele il brigadiere delle guardie doganali, coi *calzoni dentro gli stivali*, e la *pistola appesa al ventre*, quasi dovesse andare a caccia di contrabbandieri con quel tempaccio » (p. 42),

« don Michele insieme a loro colla *pistola sulla pancia*, e i *calzoni infilati negli stivali* » (p. 117),

« Don Michele ieri sera andava per la strada coi *calzoni dentro gli stivali* e la *pistola sulla pancia!* » (p. 117),

« don Michele [...] ronzava lí intorno anche lui, colla *pistola sulla pancia* e i *calzoni dentro gli stivali* » (pp. 238-239),

« Lia piangeva sottovoce, perché non udisse sua sorella, col viso nelle mani, e don Michele la vedeva piangere, colla *pistola sulla pancia* e i *calzoni dentro gli stivali* » (p. 244).

Una serie di coppie oppositive articola il sistema dei personaggi nel romanzo. Ogni coppia esprime le due tendenze ideologiche dominanti: il legame con l'ideale etico e le leggi patriarcali della tradizione, e la ricerca egoistica dell'utile o la ribellione al mondo statico e ripetitivo della comunità paesana.

Nella famiglia Malavoglia, tra i nipoti di padron 'Ntoni abbiamo le coppie 'Ntoni-Alessi e Lia-Mena. Alessi assomiglia al nonno (« un moccioso tutto suo nonno », p. 8), e al padre (« un ragazzo che somigliava tutto a suo padre Bastianazzo », p. 73) e sarà lui a perpetuare il codice di comportamento della famiglia laboriosa e onesta.

'Ntoni invece, descritto all'inizio come « un bighellone di vent'anni » (p. 7), sarà un ribelle alle norme etiche della tradizione e subirà un processo di sradicamento e di progressiva degradazione.

Allo stesso modo, Mena rispetta il codice dell'onore familiare e sceglie la strada della rinuncia e dell'accettazione del destino, mentre Lia infrange tale codice e sceglie la via della fuga e della perdizione.

Mena pratica l'ascesi del desiderio per mantenere intatto il suo mondo affettivo silenzioso e pudico. Rifiuta la proposta matrimoniale di Alfio proprio perché lo ama ancora e quindi non vuole offenderlo con un onore familiare macchiato, vuole risparmiargli la falsa situazione in cui verrebbe a trovarsi sposando la sorella di una prostituta.

Lia invece si offre allo sguardo degli uomini del paese con la civetteria della ragazza che vuole mostrarsi agli al-

tri per esibire la propria femminilità e bellezza di adole-
scente. Verga esprime la parabola discendente del personaggio, sino alla perdizione finale, attraverso il motivo del
fazzoletto.

Il fazzoletto nero la accomuna nel lutto della famiglia
Malavoglia, ma già lascia trapelare il suo fascino di ado-
lescente:

> « la sorellina, con quel *fazzoletto nero*, cominciava
> a farsi una bella ragazzina anche lei » (p. 193);

il fazzoletto con le rose è segno della vanità e della civetteria della ragazza:

> « la Lia era vanerella peggio di suo fratello 'Nto-
> ni, e le piaceva starsene sulla porta a far vedere il
> *fazzoletto colle rose*, che ognuno le diceva: "Come
> siete bella con quel fazzoletto, comare Lia!" e don
> Michele se la mangiava cogli occhi » (p. 217),

il fazzoletto di seta sviluppa il tema della seduzione e indica che il corteggiamento di Michele sta per avere successo:

> « Lia [...] orlava di nascosto un *fazzoletto di seta*
> che don Michele infine era riuscito a farle prende-
> re » (p. 243).

Nella comunità del villaggio ci sono le coppie oppositive don Giammaria-don Franco, e don Silvestro-don Michele. Il prete reazionario e borbonico si contrappone allo speziale repubblicano e anticlericale; il brigadiere facile all'ira e alle accensioni amorose al segretario calcola-
tore e astuto.

Il gioco intrecciato delle varie coppie oppositive determina il campo di tensioni che regge la struttura del romanzo. L'asse centrale della vicenda è formato dal contrasto padron 'Ntoni-'Ntoni, che rappresenta il conflitto ideologico tra generazioni diverse. Da un lato la saggezza del
nonno, che ha una visione statica della gerarchia sociale,

concepita come un ordine ferreo che fissa ciascuno alla propria condizione, dall'altro l'inquietudine del nipote, che rifiuta la propria condizione e vuole infrangere le strutture del vecchio mondo.

L'attaccamento alle tradizioni dei padri si contrappone al desiderio di novità dei figli. Le esperienze parallele dei personaggi hanno un esito fallimentare: padron 'Ntoni muore solo, all'ospedale, lontano dalla casa e dalla famiglia; 'Ntoni abbandona il villaggio per un viaggio senza ritorno.

Il confuso desiderio di ribellione del nipote non è approdato ad una coscienza politica, ad un progetto di rinnovamento sociale, ma si è degradato nell'anarchismo velleitario del parassita. Il ribelle è diventato un ubriacone perdigiorno.

'Ntoni è forse l'unico personaggio del romanzo a non avere un ruolo fisso, immodificabile, l'unico che matura un'evoluzione psicologica. Egli ha coscienza delle differenze sociali, dell'ingiustizia del mondo. E la sua rabbia nasce nel momento in cui comincia a chiedersi il perché di questa situazione:

« voleva sapere perché al mondo ci doveva essere della gente che se la gode senza far nulla, e nasce colla fortuna nei capelli, e degli altri che non hanno niente, e tirano la carretta coi denti tutta la vita » (pp. 207-208).

Egli sa cogliere con chiarezza, anche se in modo elementare, le leggi dello sfruttamento e della disuguaglianza di classe:

« Questo ci tocca a noi! a romperci la schiena per gli altri; e poi quando abbiamo messo insieme un po' di soldi viene il diavolo e se li mangia » (p. 77).

Il malcontento per la sua condizione di « povero diavolo » e il desiderio di evasione dalla dura realtà del lavoro e della fatica lo rodono come un tarlo:

« La sera mangiava ingrugnato la sua minestra, e
la domenica andava a gironzolare attorno all'osteria, dove la gente non aveva altro da fare che ridere
e spassarsi, senza pensare che il giorno dopo si tornava a fare quel che si era fatto per tutta la settimana; oppure stava delle ore intere seduto sugli scalini della chiesa, col mento in mano, a veder passare la gente, almanaccando su quei mestieri in cui
non ci era nulla da fare.
La domenica almeno si godeva quelle cose che si
hanno senza quattrini, il sole, lo star colle mani sotto le ascelle e non far nulla, e allora gli seccava anche quella fatica di pensare al suo stato, di desiderare quelle cose che aveva visto da soldato, col ri-
cordo delle quali ingannava il tempo nei giorni di lavoro. Gli piaceva stendersi come una lucertola al sole, e non far altro. E come incontrava i carrettieri
che andavano seduti sulle stanghe "Bel mestiere
che fanno!" borbottava. "Vanno in carrozza tutto il
giorno!" e se vedeva passare qualche povera donnicciuola, che tornava dalla città, curva sotto il carico come un asino stanco, e andava lamentandosi
per via, secondo il costume dei vecchi:
"Vorrei farlo io quello che fate voi, sorella mia!"
le diceva per confortarla. "Alla fin fine è come andare a spasso." » (p. 148).

Se per padron 'Ntoni la vita si basa sul senso del dovere
e sulla religione del lavoro, per il nipote il sogno utopico
di felicità coincide con il « non far nulla ». Quando torna
al paese « lacero e pezzente » e « senza scarpe » (p. 205)
dopo il suo primo tentativo di evasione, viene considerato
« un minchione » perché non è riuscito « ad acchiappare
la fortuna » (p. 206). Solo i ricchi, come don Silvestro,
lo zio Crocifisso, padron Cipolla e massaro Filippo, non
sono « minchioni », perché ci sono gli altri che lavorano
per loro.
La sua ribellione contro la tradizione familiare esplode
quando si confronta con il destino fortunato dello speziale,
a cui il padre aveva insegnato il mestiere di « far denari
coll'acqua delle cisterne » (p. 206):

« a 'Ntoni suo nonno gli aveva insegnato il mestiere di rompersi le braccia e la schiena tutto il giorno,
e arrischiare la pelle, e morir di fame, e non aver
mai un giorno da sdraiarsi al sole come l'asino di
Mosca. Un ladro di mestiere che si mangiava l'anima,
per la Madonna! » (p. 206).

Il tenace attaccamento del nonno alle sue radici si rivela
agli occhi del nipote un modello di vita improponibile, ma
sembra già anticipare il processo di emarginazione e di sradicamento che rovinerà 'Ntoni:

« Ringrazia Dio, piuttosto, che t'ha fatto nascer qui;
e guardati dall'andare a morire lontano dai sassi
che ti conoscono. "Chi cambia la vecchia per la nuova, peggio trova". Tu hai paura del lavoro, hai paura
della povertà; ed io che non ho piú né le tue braccia né la tua salute non ho paura, vedi! "Il buon
pilota si prova alle burrasche". Tu hai paura di dover guadagnare il pane che mangi; ecco cos'hai! »
(p. 186).

Alle domande rabbiose del nipote il nonno non sa dare risposte, e continua a sostenere l'eroismo del sacrificio,
il suo ostinato esempio di virtú sfortunata. Quando il giovane dichiara che vorrebbe sposare Barbara Zuppidda, e si
sente obiettare che prima deve maritarsi Mena:

« "Maledetta la mia sorte!" cominciò a gridare 'Ntoni strappandosi i capelli e pestando i piedi. "Tutto
il giorno a lavorare! all'osteria non ci vado! e in ta-
sca non ho mai un soldo! Ora che mi son trovata
la ragazza che mi ci vuole, non posso prenderla. Perché son tornato dunque da soldato?" » (p. 109).

Lo sviluppo del racconto registra un doppio processo
di degradazione e di emarginazione. È sintomatico, per capire l'ideologia verghiana, il parallelismo delle storie del
nonno e del nipote. Al traviamento di 'Ntoni, segnato dalle
tappe progressive dell'ubriachezza, del contrabbando e della galera, corrisponde l'inebetimento di padron 'Ntoni, stor-

dito dal succedersi delle disgrazie familiari e ridotto alla figura animalesca di « gufo », « pappagallo », « cucco », « uccellaccio di camposanto ».

L'incanaglimento di 'Ntoni nasce non tanto dal suo desiderio di rivolta, tutto sommato sterile e velleitario, quanto dalla sua natura randagia e zingaresca. In questo senso particolare significato assume nel romanzo il tema del viaggio, che rappresenta un asse portante della struttura narrativa. Tutta la vicenda dei *Malavoglia* è scandita da una serie di partenze e di ritorni: dalla partenza iniziale di 'Ntoni per la leva a quella di Bastianazzo, di Luca, di Alfio, di 'Ntoni in cerca di fortuna, di Lia, di padron 'Ntoni, sino a quella definitiva di 'Ntoni che chiude il romanzo. Partire significa non tornar piú, sparire, allontanarsi dalle radici, morire. L'analogia partenza-morte dà al viaggio il senso di un « distacco definitivo ».[24]

Anche quando qualche personaggio ritorna, come Alfio, si sente cosí cambiato e trova il luogo da dove è partito cosí mutato, che « è meglio che non ci torni piú »:

> « Quando uno lascia il suo paese è meglio che non ci torni piú, perché ogni cosa muta faccia mentre egli è lontano, e anche le faccie con cui lo guardano son mutate, e sembra che sia diventato straniero anche lui » (p. 259).

Il tema dell'esclusione, sottolineato con procedimento iterativo dalle parole di Alfio che parte con il suo carretto:

> « Uno che se ne va dal paese è meglio non ci torni piú » (p. 267)

> « Adesso tutto era cambiato, e quando uno se ne va dal paese, è meglio che non ci torni piú » (p. 269),

accomuna i destini dei personaggi nel finale del romanzo.

La decisione finale di 'Ntoni di partire nasce dalla presa di coscienza di un mutamento irreversibile, del distacco

[24] G. Pirodda, *L'eclissi dell'autore*, cit., p. 109.

da una visione del mondo dove legge del lavoro e codice
dell'onore coincidono:

> « Anch'io allora non sapevo nulla, e qui non vole-
> vo starci, ma ora che so ogni cosa devo andarme-
> ne » (p. 275).

Prima « non sapeva », non conosceva il valore delle radici familiari e della tradizione patriarcale, e voleva partire per inseguire dorate utopie di felicità, per vivere nel-
l'ozio e nel benessere, per scoprire il paese di cuccagna;
ora che sa, come dice una storiella ebrea, deve andare
« lontano da dove ». Poiché ha perso le sue radici, deve
morire per rinascere diverso. Sul tema folclorico e antropologico della morte-resurrezione si chiude cosí la circolarità del romanzo. La battuta finale di 'Ntoni (« il primo
di tutti a cominciar la sua giornata è stato Rocco Spatu »,
p. 276) allude appunto alla vita del villaggio che continua
indifferente e ripetitiva nei suoi ritmi eterni, un mondo di
cui egli non può piú far parte perché ne ha infranto l'armonica totalità.

PAGINE SCELTE DALLA CRITICA

Un romanzo che spiazza le attese dei lettori

Non mi sorprenderebbe punto, se coloro stessi, i quali
andarono in visibilio per gli effetti *lirici* dell'*Eva* e della
Capinera, restassero freddi alla lettura dei *Malavoglia*. Anzi, mi desterebbe sorpresa, se la generalità degli ammira-
tori e particolarmente delle ammiratrici dell'*Eva* e della
Capinera sapesse apprezzare la grande superiorità dei *Malavoglia*. Allora, il Verga cercava l'applauso colle tinte me-
lodrammatiche, col lirismo dei caratteri, delle situazioni e
delle passioni. Coi *Malavoglia* invece dà principio ad una
serie di romanzi, alieni per loro essenza da qualsiasi ro-
manticheria, — analitici ed oggettivi in sommo grado, —
null'altro ricercanti, se non la verità in tutto e per tutto.

La parte piú frivola del pubblico, quella che nutre curiosità soltanto per l'intreccio, preferendo i mestieranti agli artisti, scrollerà le spalle indispettita, perché i *Malavoglia* si risolvono nel semplicissimo racconto di una famiglia di pescatori che va in rovina.

Le lettrici e (pur troppo!) anche i lettori, avidi unicamente delle cosí dette emozioni forti e dei tipi *fatali*, giudicheranno insipidi i *Malavoglia*, un romanzo (figurarsi!), che non suscita mai un momento di febbre, od una crisi di nervi, modesta fotografia di ciò che può avvenire fra poveri villani, ignari delle grandi passioni e dei grandi vizi. Ed è questo appunto il merito maggiore del Verga; egli abbandonò un genere letterario, che gli aveva procurato brillanti successi, per un altro indirizzo, cento volte piú difficile all'osservatore ed all'artista e gustato, finora, da un minor numero di persone.

[...] Forse, anche i lettori piú avidi di verità e piú indifferenti in fatto di intreccio, giudicheranno un po' troppo povera l'azione nei *Malavoglia*. Renderei quindi un ben cattivo servizio all'autore, sfruttandola con un pallido compendio. L'altissimo pregio di questo romanzo non consiste niente affatto nell'intreccio (ridotto alle minime proporzioni), ma nella pittura e nell'analisi della famiglia di padron 'Ntoni, dei pescatori e dei carrettieri, del sindaco e del farmacista, del segretario comunale e dell'usuraio Crocifisso, delle buone comari e delle pettegole, dei bighelloni d'osteria e del brigadiere doganale, e via via, di tutto quanto il piccolo mondo, che pullula a Trezza. Cosa volete mai, che abbia a succedere in un villaggio, perduto laggiú sulla marina siciliana? Tutta roba di nessuna importanza, per un fabbricatore di romanzi ad effetto!

[...] Resisto alla tentazione di noverare le scene ed i caratteri, che mi piacquero dippiú nei *Malavoglia* e riassumo in poche righe quelli che a me sembrano i difetti del nuovo romanzo di Verga.

Sta bene, che l'intreccio non debba e non possa avere alcuna importanza in un lavoro di questo genere, ma ad ogni modo, parmi che quel po' d'azione sia troppo particolareggiato. Quattrocentosessanta pagine mi sembrano eccessive. È logico, che i diversi caratteri abbiano a risaltare in modo oggettivo, ma l'autore avrebbe forse raggiunta maggiore evidenza, non eccedendo nei dialoghi e condensando in qualche pagina i tratti caratteristici di ciascun tipo piú rimarchevole, sotto forma di profilo.

[...] Che l'ambiente sia reso con evidenza da stereoscopio, i caratteri con tutto il rilievo di persone vive ed i fatti coll'impronta di cose veramente avvenute, fin qui il concetto letterario del Verga non fa una grinza, ma perché affaticarsi ed affaticare i lettori, tutto facendo nascere dal dialogo e da frammenti di descrizione e privandosi d'altri mezzi, parimenti oggettivi, essenzialmente conformi alle teorie naturaliste ed utilissimi allo scopo prefisso?

(F. Cameroni, recensione a *I Malavoglia*, in « Il Sole », 25 febbraio 1881; ora in *Interventi critici sulla letteratura italiana*, a cura di G. Viazzi, Napoli, Guida, 1974, pp. 99-104)

La novità dei Malavoglia e il metodo dell'impersonalità

Scritti in francese, a quest'ora *I Malavoglia* avrebbero reso celebre il nome dell'autore anche in Europa e toccherebbero, per lo meno, la ventesima edizione. In Italia, intanto, pare che pochi se n'accorgano o vogliano mostrare d'essersene accorti.

[...] si vede che il grosso pubblico vi cercava tutt'altro che la sincera evidenza della realtà, e assuefatto a manicaretti pepati di rettorica e di romanticismo, non riusciva a gustare quella semplicità quasi nuda.

[...] Questi *Malavoglia* [...] saranno un terribile e salutare corrosivo nella nostra bislacca letteratura. Lasciateli fare e vedrete. Se avranno poi la consacrazione (e se la meritano) d'una traduzione francese, eserciteranno un'influenza anche in una sfera piú larga e conteranno per qualche cosa nella storia generale dell'arte. Giacché finora nemmeno lo Zola ha toccato una cima cosí alta in quell'*impersonalità* ch'è l'ideale dell'opera d'arte moderna. C'è voluto, senza dubbio, un'immensa dose di coraggio, per rinunziare cosí arditamente ad ogni piú piccolo artificio, ad ogni minimo orpello retorico e in faccia a questa nostra Italia che la rettorica allaga nelle arti, nella politica, nella religione, dappertutto. Ma non c'è voluto meno talento per rendere vive quelle povere creature di pescatori, quegli uomini elementari attaccati, come le ostriche, ai neri scogli di lava della riva di Trezza. Padron 'Ntoni, Mena, la Santuzza, lo zio Crocifisso, lo zio Santoro, Piedipapera, ecc., sono creazioni che debbono essere un po' sbalordite di trovarsi a vivere dentro la morta atmosfera della nostra stalattitica letteratura. Se non ci fossero Don Abbondio, Perpetua, Agnese, Renzo, Don Ferrante e Padre Cristoforo, dovrebbero proprio rassegnarsi di restare in famiglia con la Nedda, colla Lupa, con Jeli il pastore, con Rosso Malpelo.

Un romanzo come questo non si riassume. È un congegno di piccoli particolari, allo stesso modo della vita, organicamente innestati insieme. L'interesse che ispira non è quello volgare, triviale del come finirà? ma un interesse concentrato che vi prende a poco a poco, con un'emozione di tristezza dinanzi a tanta miseria, dinanzi a quella lotta per la vita, qui osservata nel suo primo stadio quasi animale, e che l'autore s'accinge a studiare nelle classi superiori con una serie di romanzi legati insieme dal titolo complessivo: *I Vinti*.

L'originalità il Verga l'ha trovata dapprima nel suo soggetto, poi nel metodo *impersonale* portato fino alle sue estreme conseguenze. Quei pescatori sono dei veri pescatori siciliani, anzi di Trezza, e non rassomigliano a nessuno dei personaggi d'altri romanzi. Non è improbabile che il Verga si possa sentir accusare di minore originalità quando il suo soggetto lo condurrà fra la borghesia e le alte classi delle grandi città, perché allora le differenze dei caratteri e delle passioni appariranno meno spiccate; ed è bene notarlo fin da ora.

I Malavoglia non sono certamente un lavoro perfetto; l'autore lo sa meglio di noi. Certi eccessi di forma minuta, certe sproporzioni di parti potevano forse evitarsi, senza che l'evidenza della rappresentazione ne soffrisse e con profitto del libro e dei lettori. Ma mi par di vedere il Verga che, dal fondo della sua coscienza d'artista, modestamente mi fa osservare: *Forse no*.

(L. Capuana, *Studi sulla letteratura contemporanea*, Catania, Giannotta, 1882; ora in *Verga e D'Annunzio* a cura di M. Pomilio, Bologna, Cappelli, 1972, pp. 82-89)

Lo spessore sociologico dei Malavoglia

Il quadro è triste, ma vero; vero non pel solo paesello di Trezza, ma per tanta parte delle province italiane. Può esserci diversità di tinte, se cosí posso dire, quando si passa da un luogo all'altro; e, certo, la miseria, l'abbrutimento della parte piú disgraziata del nostro popolo assume modalità diverse secondo le condizioni fisiche, storiche ed economiche diverse. Ma il fondo è uno: miseria, abbrutimento.

[...] È la sorte de' Malavoglia. Padron 'Ntoni è una bella figura di vecchio, con molti difetti, ma di animo vigoroso, e con tutti gli istinti, o, se preferite, con la coscienza dell'uomo onesto. Dolori e disgrazie, con colpi frequenti durissimi, lo abbattono: di gradino in gradino, scende fin presso all'abbiezione, piú dolente della ruina della sua famigliuola che della propria infelicità. La Longa è una di quelle donne, per fortuna non rare, che si uccidono per fare il loro dovere di mogli e di madri: fragile creatura, avvezza a ubbidire ed a lavorare, non può altro che lamentarsi e lasciarsi morire. Mena, Alessi, Alfio, conservano le buone qualità di una razza non ancora degenerata [...]

Uno dei suoi [di Verga] meriti principali è appunto di aver dimenticato le teorie. A lettura finita, voi potete riconoscere che il libro è uno studio *sociale*, dovete aggiungere che è uno studio vigoroso ed ampio; ma non l'ha fatto il filosofo, né l'economista, l'ha fatto l'artista.

Io mi rallegro di vedere il Verga, primo forse fra gli scrittori italiani di novelle e di romanzi, cercare le sue aspirazioni al di fuori di un'aristocrazia e d'una borghesia di convenzione, pallidi riflessi *subbiettivi* dell'arte straniera, società e personaggi foggiati faticosamente a priori, piuttosto cosmopoliti che italiani, assai piú artificiali che reali. Mi rallegro di vedere alla fine ritratta quale è la bassa borghesia e la plebe delle nostre provincie. So che il Verga non ha scoperto l'America; so che in Francia, in Inghilterra, in Germania e fino in Russia egli ha gloriosi precursori e maestri. Ma in Italia, dove le marionette del Carcano e compagnia han tanto contribuito a impedire la cognizione precisa delle classi povere; dov'è ancora frequente la maraviglia di non trovare, usciti dalle città, un Renzo

in ogni montanaro e una Lucia in ogni villana; dove i
lazzaroni e i *camorristi* del Mastriani somigliano cosí poco
ai lazzaroni e camorristi veri d'Abbasso Porto e tanto agli
eroi dei *Mystères de Paris*; io saluto come prova di vigore
intellettuale e di ardimento non comune i *Malavoglia*, che
aiuteranno, al pari degli scritti dei Franchetti e dei Sonnino, a far conoscere le condizioni sociali della Sicilia. Però
il Verga non ci ha dato né considerazioni, né statistiche;
non ha dimostrato nessuna tesi: esse sono il presupposto,
non certo il romanzo.

(F. Torraca, recensione a *I Malavoglia*, in « La Rassegna », 9 maggio 1881; quindi in *Scritti critici*, Napoli,
Perrella, 1907, pp. 388-390)

I Malavoglia *come romanzo corale*

[...] il racconto è cosí condotto che non par di ascol-
tarlo dalla bocca dell'artista, ma a volta a volta dai singoli
protagonisti, i quali rievocano sé e gli altri familiari nella
sintesi di un comune sentimento. Padron 'Ntoni è la sua
famiglia, la famiglia è il suo cuore, e tutti insieme sono la
vita e il cuore del villaggio. E per questo non si può dire
che campeggi un protagonista nel romanzo, ma protagonista è tutto il paese, e lo scrittore è mirabile nel rievocare
in ogni persona, ad ogni passo, quella vita collettiva e la
storia totale di tutto il romanzo: e questo è segno di arte
grande. Davvero la fatica artistica sarebbe infruttuosa, se lo
scrittore pedanteggiasse dietro a ciascun personaggio, per
sbozzarne la figura morale o fisica, con particolari finiti,
come se ognuno vivesse in sé e per sé: il Verga non è un
ritrattista del singolo, ma il rievocatore di grandi scene
affollate, dove i personaggi numerosi sono fusi in una vi-
gorosa sintesi dinamica, che ce li fa vivere tutti, ad ogni
istante, nelle parole, gesti, azioni di ogni singolo interlocu-
tore. La doglia di padron 'Ntoni è doglia di tutti i Malavoglia; la sua onestà è ancora la fede caparbia di tutti i
suoi; ai suoi disegni economici partecipano anche i piccoli, col loro silenzio attonito e pensoso. E il senso religioso e solenne, che si leva dal racconto, è precisamente
connesso a questa solida unità morale di sentimenti del
capo e della sua famiglia. Non ci troviamo in una casa

qualsiasi, ma in una casa che è la rozza chiesa catacom-
bale di una religione atavica. Ma non si può dire neanche
dove finisca la vita malavogliesca che si svolge tra le pareti della casa del Nespolo, e dove incominci quella del
villaggio. Nel romanzo, è sempre presente la funzione di
un coro vero e proprio, che viene compassionando o con-
trastando alle pene dei protagonisti. Alle sventure dei poveri Malavoglia partecipano tutti quelli del paese, con spirito di compassione o di antitesi, e non di rado con la crudele compassione, che i poveri diavoli sanno mettere nel
compianto delle disgrazie dei loro simili, e con quello spirito di antitesi che ci avverte della miseria di quelli stessi
che, forti oggi, domani anche loro forse saranno dei vinti,
e miserabili come le altre povere vittime.

(L. Russo, *Giovanni Verga*, Napoli, Ricciardi, 1920,
pp. 157-159)

Verga, uno scrittore antiletterario

Giovanni Verga è il piú « antiletterario » degli scrittori;
il D'Annunzio è tutto letteratura, anche là dove l'esperta e
istrutta, acutissima sensibilità riesce a farlo veramente
vivo [...]
Dialettale? Sí. [...] Questa « dialettalità » del Verga è
una vera creazione di forma, da non considerare perciò
al modo usato, cioè come « questione di lingua », notan-
done lo stampo sintattico, spesso prettamente siciliano, e
tutti gli idiotismi.
Qui idiotico vuol dire « proprio ». La vita d'una regione
nella realtà che il Verga le diede, cioè com'egli la sentí,
come la vide, come in lui si atteggiò e si mosse [...] non
poteva esprimersi altrimenti: quella lingua è la sua stessa
creazione. E non è colpa degli scrittori italiani, né povertà,
ma anzi ricchezza per la loro letteratura, « se essi creano
la regione ». Nazione da noi voleva dire o volgarità mec-
canica e stereotipata di stile burocratico e scolastico, o
astratta verbosità di lingua letteraria e retorica: quello che
sempre, se pure in prima musicalmente piace, alla fine
sazia e stanca.
E il ritorno a Verga, inevitabile, è infatti ora dei giovani sazi e stanchi di quella troppa letteratura. [...] Do-

veva avvenire. Perché la vita o si vive o si scrive. Dove non c'è la cosa, ma le parole che la dicono; dove vogliamo esser noi per come le diciamo, c'è, non la creazione, ma la letteratura, e anche letteralmente, non l'arte ma l'avventura, una bella avventura, che si vuol vivere scrivendola o che si vive per scriverla.

[...] quella compatta e schietta naturalezza del primo romanzo [*I Malavoglia*], tanto piú mirabile e quasi prodigiosa, in quanto non si sa come risulti cosí fusa attorno a quella casa del Nespolo tutta la vita di quel borgo di mare e come venga fuori senza intreccio e pieno di tanta passione il romanzo in cui le vicende sembrano a caso. [...] Il segreto del prodigio è nella visione totale dell'autore, che dà a quanto appare sparso e a caso nell'opera quell'intima vitale unità che non domina mai da fuori, ma si trasfonde e vive nei singoli attori del dramma i quali sí, son tanti, ma si conoscono tutti e ciascun sa tutto dell'altro e del piccolo borgo intende ogni aspetto e ogni voce, se suona una campana, da qual chiesa suoni; un grido, chi ha gridato e perché ha gridato, legati tutti da ogni piccola vicenda che si fa subito comune.

Cosí, da un capo all'altro, per tanti fili, che non sono di questo o di quel personaggio, ma che partono da quella necessità fatale dominante, l'opera d'arte si tiene tutta, meravigliosamente, con quello scoglio, con quel mare, con l'antica dirittura solenne di quel vecchio uomo di mare, in una primitività quasi omerica, ma su cui incombe quasi un senso della fatalità dell'antica tragedia, se la rovina di uno è la rovina di tutti; e con l'ammonimento che ne emana, tra la pietà sbigottita per la sorte dei vinti.

(L. Pirandello, *Studi verghiani*, I, Palermo, Edizioni del Sud, 1929, pp. 27-35)

I Malavoglia: *un grande libro con un eccesso di tragedia*

È curioso il fatto che la letteratura italiana moderna abbia influito cosí poco sulla coscienza europea. Cento anni fa, quando uscirono, *I promessi sposi* vennero accolti dal plauso di tutta l'Europa. Insieme alle opere di Sir Walter Scott e di Byron, rappresentavano per gli europei il « fascino del romanticismo ». Ciò nonostante, dov'è finito

ora Manzoni, anche rispetto a Scott e a Byron? Nei fatti,
voglio dire. Ufficialmente *I promessi sposi* sono un classico,
anzi di solito sono considerati *il* classico fra i romanzi italiani. Non esiste un manuale di letteratura da cui sia assente questo libro. E tuttavia chi lo legge? Anche in Italia, chi lo legge? Eppure a mio avviso è uno dei romanzi
migliori e piú interessanti che sia mai stato scritto [...] La
stessa cosa è successa a Giovanni Verga. Verga è univer-
salmente riconosciuto come il maggior romanziere italiano
dopo Manzoni: nonostante questo, nessuno lo prende in
seria considerazione. Per quel che se ne sa Verga è semplicemente l'uomo che ha scritto il libretto della *Cavalleria
rusticana*. Mentre invece, in effetti, la novella di Verga *Cavalleria rusticana* ha con la musica piuttosto volgare di
Mascagni lo stesso rapporto del vino con l'acqua zucche-
rata. [...]

Il tema principale, la visione globale di tutta la letteratura del diciannovesimo secolo, è quello che noi chia-
meremmo la visione emotivo-democratica. Mi sembra che
fin dal 1860, o forse addirittura dal 1830, gli italiani abbiano sempre mutuato i loro ideali di democrazia dalle na-
zioni settentrionali, riversandovi una forte carica di emozioni, senza che l'innesto di questi ideali abbia mai attec-
chito veramente. Alcuni dei martiri piú ammirevoli della
democrazia sono stati dei napoletani di alto lignaggio e di
notevole cultura. E tuttavia essi mi fanno pensare a un
tentativo di vivere con i lumi di qualcun altro.

Il primo romanzo siciliano di Verga, *I Malavoglia*, è di
questo tipo. È stato considerato il suo lavoro migliore. È
effettivamente un grande libro. Ma è un *parti pris*; è uni-
laterale: perciò è superato. Si insiste troppo sulla tragica
sorte dei poveri, in questo libro. Si sguazza nella tragedia:
la tragedia degli umili. Il libro appartiene a un periodo in
cui gli « umili » erano quasi la cosa piú alla moda che ci
fosse. E i Malavoglia sono umilissimamente umili: siciliani
della costa, pescatori, piccoli commercianti: la loro umile
tragedia viene talmente caricata da diventare quasi disastrosa. [...] È un grande libro, un grande quadro di vita
povera in Sicilia, sulla costa a nord di Catania. Ma l'aspetto pietoso è piuttosto esagerato [...] Nondimeno, è essenzialmente un quadro fedele, e diverso da qualsiasi cosa

nella letteratura. Nella maggior parte dei libri di quel periodo — anche in *Madame Bovary*, per non parlare del *Lys dans la vallée* di Balzac — si deve eliminare circa il venti per cento della tragedia. Lo si fa per Dickens, lo si fa per Hawthorne, lo si fa in continuazione, con tutti i grandi scrittori; e allora, perché non farlo per Verga? Basta togliere circa il venti per cento della tragedia dai *Malavoglia*, e vedrete che grande libro rimane.

(D.H. Lawrence, *Phoenix*, London, 1936 [ma il saggio su Verga è del 1922]; poi in P. Pullega, *Leggere Verga*, Bologna, Zanichelli, 1973, pp. 133-138)

La cantilena e il silenzio magico

La forza di Verga è di avere generato quei personaggi, proprio nello stesso modo come, nella vita, sarebbero emersi dal collettivo, con quel contenuto che il collettivo dà ad essi. Questa è l'opera di un grandissimo realista. Ma gli viene dalla identificazione assoluta con quella matrice comune degli stati d'animo. E soprattutto il collettivo si esprime nello stesso modo come Verga vede e rappresenta e giudica. Questa è la radice della sua famosa coralità.

Che poi il collettivo, abbandonato a se stesso, come lo vediamo nella vita, il collettivo preso allo stato naturale, sia abbastanza tetro, insignificante, monotono, mentre il Verga da quel fondo fa emergere opera di poesia, ecco l'altra obiezione a cui dovremmo rispondere. Non si tratta solo di organizzare, di disporre prospetticamente quella materia emersa dal collettivo, plasmata negli stampi del collettivo. Anzi, in questo genere di lavoro, Verga non è particolarmente forte. Sono note le sue monotonie, le sue deficienze prospettiche, l'ingenuità artificiosa di certi attacchi a ripetizione, tra i successivi capitoli dei *Malavoglia*.

Grandezza e poesia nascono invece da un continuo, implicito confronto che si stabilisce tra la possibilità di osservare, di spiegarsi dal di fuori e il rispetto, il rigore nella registrazione della nota pura, che emerge dal fondo. Nascono dall'incidersi dei segni e dei tratti su quel silenzio veramente magico, che nasce dalla soppressione di tutto quello che si poteva dire, suggerire con voce diversa da quella unica e giusta.

La cosiddetta cantilena del Verga, che è in fondo un'inflessione severa e dolorosa, nasce da una rinuncia. Nasce dal dramma di avere accettato quella identificazione tragica, con quel fondo elementare della vita, che è al di qua delle figure consolanti, che non può produrre i riscatti dell'intelligenza, le soddisfazioni di vedere piú dall'alto. Ma, alla fine, nella misura in cui quel collettivo appartiene a tutti, è comune all'uomo immerso nella vita e nella storia, le figure, le linee, le melodie emerse da quel fondo tragico disegnano, pronunziano destini che ci compromettono tutti quanti, anche se non metteremo in mare, carica di lupini guasti, una barca che si chiama la Provvidenza. [...] Nei *Malavoglia*, l'identificazione è totale. Si tenti, per prova, a riconoscere i confini e punti di contatto di questo romanzo con mondi diversi da quel collettivo dei pescatori e della gente di Aci Trezza. Non sono visibili questi confini, non ci sono rapporti. In quel romanzo è il collettivo che parla, dalla prima riga, si può dire, all'ultima.

(G. Debenedetti, *Verga e il naturalismo*, Milano, Garzanti, 1976, pp. 424-426. Questo volume raccoglie i quaderni inediti che servirono di base alle lezioni tenute all'università di Messina negli anni 1951-52 e 1952-53)

La delusione postrisorgimentale nel mondo di Aci Trezza

[...] nei *Malavoglia*, il motivo risorgimentale non sta nello spurio aneddoto di Lissa. Sta invece nel lungo episodio del dazio sulla pece, dove appunto dall'interesse economico la popolazione è indotta ad aprire gli occhi sugli affari della collettività e a esercitare il suo controllo sulle deliberazioni del municipio; cosí, giovandosi della libertà amministrativa, essa compie il suo primo democratico addestramento alla vita politica, con tutti i pericoli di corruzione che essa comporta, ma anche con le possibilità di critica, di rottura e di progresso che essa offre. E un altro motivo risorgimentale è piuttosto nella figura del giovane 'Ntoni, con la sua inquietudine, con la sua smania di uscire dal guscio, con quell'oscuro istinto che lo sospinge alla ricerca di un piú vasto campo di vita; in lui si accende il primo fioco barlume di una nuova coscienza, in cui si profilano in una luce ancora crepuscolare i miraggi che sorgono dalla nuova situazione etico-politica.

Ma questi sono risultati indiretti, i quali si producono, per cosí dire, di rimbalzo sulla popolazione di Aci Trezza, giacché non è stata essa, con la sua opera, a provocarli e a ottenerli. Anzi, nel grigiore di tutto il romanzo, in quel continuo muoversi a vuoto, in quella desolante passività morale, si può vedere il riflesso poetico della mancata partecipazione di quegli umili al moto nazionale, se non addirittura quello della delusione che il moto stesso aveva lasciato in loro per non aver saputo appagare le speranze che aveva suscitato.

(G. Trombatore, *Verga e la libertà* (1955) in *Riflessi letterari del Risorgimento in Sicilia*, Palermo, Manfredi, 1960, p. 17)

I piani del racconto nei Malavoglia

1. Fino a tanto che ci muoviamo nell'ambito della narrativa classica, la nozione di « piani di racconto » si limita all'alternarsi di discorsi diretti, discorsi indiretti, costrutti indiretti liberi: non offre occasioni di dibattito. [...] La differenza fra un piano grammaticale in senso stretto e un piano grammaticale approssimato porta a nuove distinzioni.

La prima distinzione riguarda la diversa posizione dell'io del narratore, che ora obiettivamente vede e ora soggettivamente ricorda, distribuendo uno stesso paesaggio o una stessa vicenda su due diversi piani, che potremmo chiamare non piú grammaticali ma *espressivi*.

È l'esigenza elevata a sistema da M. Proust, in cui la sostanza espressiva, portata tutta sul piano unico dell'io che ricorda, viene sottomessa a una disciplina severa, a un ritmo del tutto staccato dalle esigenze semantiche, a un periodare complesso: è il trionfo della *costrizione* linguistica. [...]

La seconda distinzione dispone, al di fuori dell'io del narratore, il racconto su piani tali, per cui, alla visione diretta della realtà narrata, si contrappone, non la trasfigurazione operata dalla memoria del narratore, ma il filtro dovuto a singoli personaggi del racconto (« attori ») o a

una collettività (« coro »). Si tratta in questi casi non già
di « piani espressivi » che dipendono da un variabile atteggiamento del narratore: ma di piani *stilistici*, su cui il
narratore dispone, a suo giudizio, la sostanza espressiva
del suo immutabile io.

I piani stilistici cosí intesi sono illustrati qui con esempi
presi dai due primi capitoli dei *Malavoglia*. La nozione del
« racconto dialogato » (o « dialogo raccontato ») felicemen-
te formulata da Luigi Russo viene qui sostanzialmente
confermata.

2. Fra il narratore e la vicenda narrata c'è sempre un
intervallo di tempo. Ma, se, ai fini della narrazione, io
debbo servirmi di « attori » o di « cori » che la filtrino, essi
debbono essere contemporanei alla narrazione:

> « adesso a Trezza non rimanevano che i Malavoglia
> di padron 'Ntoni ».

La forma è diversa da « allora... rimanevano » e da
« adesso... rimangono ». Questo perché, attribuendo al coro
l'affermazione, la struttura si scioglie razionalisticamente
cosí: « adesso non rimangono che i Malavoglia... — cosí
dicevano allora ».

La saldatura è necessaria anche quando, anziché una
affermazione generica di fatto, si riferisce, attraverso il
filtro di un « attore » preciso, la definizione di un personaggio.

Il processo in atto non è quello di un racconto che sop-
porta l'imperiosa esigenza del parlato. La tradizione del
Verga è esattamente l'opposto: quello di far confluire la
varietà e le intemperanze del parlato nella disciplina del
racconto, « sia pure in una disciplina che non ha nulla di
comune con la traduzione » tradizionale del discorso diretto nell'indiretto:

> « "Bel pezzo, la Mangiacarrubbe", seguitava, "una
> sfacciata che si è fatto passare tutto il paese sotto la
> finestra". "A donna alla finestra non far festa", e
> Vanni Pizzuto le portava in regalo i fichidindia..., e
> se li mangiavano insieme nella vigna... li aveva visti
> lei ».

La prima parte del passo è parlato puro; la seconda è parlato filtrato; il passaggio al raccontato è dato dagli imperfetti *portava, mangiavano*; la terza è discorso indiretto quasi normale.

Ma la forza del racconto sopravvive, quando si osserva il proverbio cui segue l'*e* anziché il *ma*, unicamente perché l'ironia della coordinazione era ampiamente convalidata nel parlato da un sospiro o da una strizzatina d'occhi.

(G. Devoto, *I « piani del racconto » in due capitoli dei « Malavoglia »*, in « Bollettino del Centro di studi filologici e linguistici siciliani », II, 1954; poi, col titolo *Giovanni Verga e i «piani del racconto »*, in *Nuovi studi di stilistica*, Firenze, Le Monnier, 1962, pp. 202-205)

Un coro di parlanti popolari

L'originalità della tecnica del Verga dei *Malavoglia* consiste dunque, non nell'uso dell'*erlebte Rede* [= discorso rivissuto; equivale al discorso indiretto libero] coltivato dai romanzieri classici italiani come da tutti i grandi romanzieri francesi dell'Ottocento, ma nella filtrazione *sistematica* della sua narrazione di un romanzo intero, dal primo fino all'ultimo capitolo, attraverso un coro di parlanti popolari semi-reale (in cui il parlato *potrebbe* essere realtà oggettiva — ma non si sa davvero se lo è), che si aggiunge alla narrazione a mezzo di discorsi e gesti (ciò che il Russo chiamava *racconto dialogato*): Verga non descrive, per esempio, la morte di Bastianazzo sulla sua barca *Provvidenza*, ma (nel capitolo terzo) il processo per cui questa morte diventa realtà per il villaggio e per sua moglie, attraverso i discorsi, i gesti e in generale le attitudini di tutti i membri di quella comunità: alla fine del capitolo la Longa, che qualche riga prima era ancora « la poveretta che non sapeva di esser vedova », vedendo le attitudini solenni di comare Piedipapera e di cugina Anna (« le vennero incontro, con le mani sul ventre, senza dir nulla ») comprende la realtà della sua vedovanza. Il narratore, che per questo non cessa di essere un narratore autentico, ha scelto di raccontare gli avvenimenti come si riflettono nei cervelli e nei cuori dei suoi personaggi: è il narratore autentico che ci riporta alla fine del capitolo (secondo una breve osserva-

zione che fa Bastianazzo nel momento della partenza della
Provvidenza per prepararsi alla sua morte) e aggiunge: « *E
questa fu l'ultima sua parola che si udí* » — ma è carat-
teristico che accentui l'ultima parola di Bastianazzo che *si
udí*, perché è proprio « quello che si ode » che forma la
trama del romanzo. [...]

Il discorso indiretto « libero » o « corale » dei *Malavoglia*, bisogna notarlo, è anche diverso da quello di Zola,
che pure era il maestro insuperato della descrizione del collettività [...] lo scrittore si permette di vivere (*erleben*) i
sentimenti di questi gruppi, di lasciare il lettore in sospeso in quanto alla realtà di quello che dicono i suoi « cori », ma l'*erlebte Rede* corale di Zola è riservato per certi
momenti di effusione frenetica o isterica del popolo, in cui
i limiti fra racconto oggettivo e parlato soggettivo vengono
distrutti, non penetrano tutta la narrazione dell'autore. [...]

Il parlare corale di Verga mostra meno l'affascinamento
personale dell'autore, è piú costante e piú pacato nell'evo-
cazione di un pensiero popolare permanente, che pervade
tutto il romanzo. D'altra parte, Verga non si presenta come
uno del gruppo dei contadini di Aci-Trezza, evita un *noi*
che lo includerebbe [...] la sospensione del lettore con-
frontata con quella « pseudo-oggettività » rimane attraverso tutto il romanzo, forse perché il credo del verista del
tempo e dello stampo di Verga non permette all'autore di
prendere partito apertamente (prende partito soltanto velatamente con la scelta dell'azione).

(L. Spitzer, *L'originalità della narrazione nei « Malavoglia »*, in *Romanische Literaturestudien* e in « Belfagor », gennaio 1956, pp. 45-47; quindi in *Studi italiani*
a cura di C. Scarpati, Milano, Vita e pensiero, 1976)

La fissità ideologico-stilistica del mondo popolare nei Malavoglia

Piú d'una volta [...], come ci dicono le sue lettere,
Verga cercò raccolte di proverbi e di modi di dire; e che
annettesse notevole importanza a questa ricerca e la con-
ducesse con notevole scrupolo obiettivo ce lo dimostrano
non solo il centinaio e mezzo di proverbi che s'incontrano
nel romanzo, e dei quali si può trovar riscontro nelle rac-

colte, ma anche quel suo manoscritto, che non abbiamo
potuto esaminare, ma di cui sappiamo che è un minuzioso
elenco assai nutrito e scrupoloso dei proverbi « che piú
s'attagliavano al suo punto di vista e ai suoi scopi » (Per-
roni).

Qui la natura stessa dell'elemento documentario ri-
cercato (e, con non casuale spicco, assieme ad un soprannome fin dal primo annuncio del passaggio dal bozzetto al-
l'elaborazione del romanzo) dichiara la sua inerenza interiore. Anche oggettivamente, anche su un piano di ricerca
storica, i proverbi contengono un alto grado di capacità
individuatrice di quel mondo di « povera gente » che *I
Malavoglia* intendevano esprimere: essi sono non soltanto
enunciazione di contenuti morali, di pratici convincimenti,
di norme che lumeggiano un certo orizzonte culturale, ma
sono anche e soprattutto connotazione caratteristica di una
tonalità psicologica e, correlativamente, fatti di lingua e di
« stile ». [...]

Come è ben noto, quasi ad ogni pagina dei *Malavoglia*
c'è una espressione, un paragone, una aggettivazione che
pare di aver letto un momento prima; e se si sfoglia un po'
avanti o un po' indietro torna in effetti sotto gli occhi e
risuona identica o quasi.

Non si tratta soltanto del procedimento per cui i pe-
riodi, e talvolta i capitoli, si allacciano l'uno all'altro con
la « ripresa » d'un termine o d'una espressione salienti; né
soltanto dell'altro per cui una espressione corre di bocca
in bocca a generare quel *continuum* di discorsi che è tanta
parte della coralità del romanzo.

C'è in piú il ritornare della medesima immagine o
espressione al ripresentarsi del medesimo personaggio o
della medesima situazione. [...]

Nella maggior parte dei casi si tratta [...] di espressioni che si coniano nel romanzo, ma che assumono una
sorta di fissità che pare appunto esemplata sulla fissità ideologica dei proverbi. E se ne potrebbe fare una elenca-
zione statistica. La barca è « ammarrata sotto il lavatoio »
almeno quattro volte, e dopo la tempesta è ridotta « come
una scarpa vecchia » almeno tre. La Nunziata « pare una
chioccia con i suoi pulcini », oppure guida i fratelli « come la chioccia »; e padron 'Ntoni, quando gli sembra d'es-

sere prossimo a morire, raccomanda alla Mena di tenersi
la sorella sotto le ali « come fa la chioccia coi suoi pulcini », e alla Mena appunto, dopo la morte della madre,
sembrerà di doversi tenere la sorella « sotto le ali come
una chioccia ». [...] È evidente il riscontro con certi pro-
cedimenti tecnici e stilistici cosí diffusi nel canto popolare
dove tanto spesso le situazioni identiche tornano con identiche parole e con identici attributi, e dove sono tanto
frequenti l'uso di epiteti esornativi, la ripetizione nelle risposte delle stesse parole usate nella domanda, e simili altre particolarità che confluiscono a formare quell'aura di
« popolarità » e di elementarità dello « stile » che li con-
traddistingue. Certo, nel canto popolare troviamo in genere la fissità ideologica e stilistica piú assolute, e cioè una
inalterata iterazione, cosí come nel proverbio troviamo
una definitiva e irresolubile cristallizzazione; nel romanzo
invece c'è la costante presenza della mano dell'artista che
cerca e trova cadenze interiori ad ogni ripetizione. Ma è
appunto questa la differenza tra il canto popolare o il proverbio e l'arte di Verga; la quale tuttavia pare essere appunto, per questo rispetto, la trasposizione in chiave d'arte
della fissità ideologico-stilistica popolare: a ricrearne espres-
sivamente, con le cadenze che i proverbi diffondono e con
la nascita di moduli che circolano come sentenze o soprannomi da una pagina all'altra, la cristallizzazione di
esperienze e l'aura di atemporalità che caratterizza anche
obiettivamente certi aspetti del mondo popolare.

(A.M. Cirese, *Il mondo popolare nei « Malavoglia »*, in
« Letteratura », 1955, 17-18; ora, con il titolo *Verga e
il mondo popolare: un procedimento stilistico nei « Malavoglia »*, in *Intellettuali, folklore, istinto di classe*, Torino, Einaudi, 1976, pp. 13-21)

Etica eroica e ribellione sterile nell'ideologia verghiana

Un'etica eroica, che è anche l'affermazione di una fede
e di una speranza, le uniche possibili e « reali » — nella
prospettiva verghiana, che pur in una dichiarata volontà
di osservazione « imparziale », tien dalla parte di padron
'Ntoni — nell'avaro cielo di Aci-Trezza e nel destino di
tutti i derelitti, che lí si rispecchia: la fede nel lavoro, nella

tenacia, nella fedeltà a certi antichi valori che son la capacità di sofferenza e l'operosità indefessa, senza grilli per il capo; una fede faticosa e « difficile », di cui Alessi, il ricostruttore della casa del Nespolo, è il testimone e il depositario.

Contro questo sistema e modo di vita, e contro gli ideali che lo giustificano e sorreggono, si sviluppa in termini sempre piú decisi ed oltranzistici la « ribellione » di 'Ntoni, il quale simboleggia, sebbene al livello di un episodio e di una deviazione individuale, cui manca quella ricchezza di sfondi e di motivazioni e di consensi che sorreggeva l'etica di padron 'Ntoni, e quindi con minore autorevolezza di storica rappresentatività, le inquietudini e gli « smarrimenti » delle nuove generazioni, che tornavano dal servizio militare disadattate alle vecchie consuetudini, recando in quella patriarcale ed immobile società i fermenti dissolventi di una scontentezza amara, di una prima sconosciuta insofferenza, di una torbida ed oscura ansia di evasione: l'aspirazione, pericolosa per tutto il « sistema », ad una vita diversa e migliore. [...]

Tutto il finale dei *Malavoglia* ha un intenso valore simbolico e l'andamento e il respiro di un biblico rito religioso, un rito di purificazione e di espiazione: fin dal ritorno del pellegrino, che ha *fame e sete*. È la riconsacrazione, per bocca dell'apostata di un giorno, delle antiche leggi violate, la dolorosa conferma della validità dell'insegnamento di padron 'Ntoni; la presa di coscienza della portata catastrofica di ogni illegittima scontentezza, di ogni peccaminosa ansia di evasione; la riscoperta del valore di una vita travagliata e modesta, ma serena, che sembrava intollerabile, e che ora si colora di nostalgia struggente nella memoria, la nostalgia disperata di chi si sente esiliato per sempre da quel porto di pace, come Adamo dal paradiso perduto.

(V. Masiello, *Verga tra ideologia e realtà*, Bari, De Donato, 1970, pp. 87-90)

L'artificio dello straniamento

Non si può non notare [...] la particolarità e insieme la funzionalità complessiva [...] del procedimento di stra-

niamento adoperato dal Verga. La particolarità verghiana
[...] consiste in questo singolare rovesciamento: mentre in
questi esempi l'ottica usata è chiaramente « eccezionale »
per cui lo straniamento si realizza nel rappresentare ciò
che è « normale » come se fosse « strano », il Verga rappresenta ciò che è « strano » (o ciò comunque che turba
la nostra coscienza morale) come se fosse « normale »; e
inoltre raggiunge tale effetto non in un singolo episodio di
un romanzo o nel giro breve di un racconto ma per tutta
la durata dei *Malavoglia* attraverso l'adozione del punto
di vista della collettività di Aci-Trezza. [...] Il fatto « strano », per cui il puntiglio personale (l'ambizione di sposare la Barbara, la cui madre non voleva darla ai fore-
stieri) e quattro fave valgono per don Silvestro di piú della
casa del nespolo e del destino di un'intera famiglia, è per
il mondo di Aci-Trezza un fatto « normale », mentre *estra-
niato* (sia socialmente, come si è visto, sia moralmente) è
proprio il mondo dei Malavoglia. Tutto ciò che essi fanno
diventa immediatamente « *autre* » per l'ottica paesana dominante: filtrato attraverso l'indiretto libero o le dirette
battute dei paesani il loro mondo può apparire assurdo e,
addirittura, immorale (ad esempio: se i Malavoglia non
vogliono mandare all'ospedale il nonno benché inabile al
lavoro e dunque contraddicono alla regola dell'utile, si com-
portano cosí per puntigliosa ambizione e per superbia
— « volevano fare i superbi senza aver pane da mangiare » —, a tutto danno dello stesso padron 'Ntoni: « se lo
tengono in casa per farselo mangiare dalle pulci » e « per
fargli avere il purgatorio prima che muoia »).
    Ma la divergenza fra il punto di vista del narratore (qui
l'intera comunità paesana) e quello dell'autore produce
quello scarto « ironico » su cui si fonda, col processo di
straniamento, la possibilità sempre latente eppur mai espli-
citamente espressa di un diverso giudizio.
    Cosí l'adozione del punto di vista collettivo serve ad
illuminare tutto il racconto di una luce obliqua, distorta,
che però coglie oggettivamente uno stravolgimento profondo, reale, insito nei rapporti umani in quanto sottoposti
alla alienazione della legge dell'utile e della violenza. Di
qui la funzionalità di tale procedimento espressivo. Assumere il punto di vista della società arcaico-rurale ha si-

gnificato per il Verga adottare non un punto di vista mitico o idealizzato ma il punto di vista economico di tale società; la cosiddetta « coralità » e l'impersonalità dei *Malavoglia* non sono solo un espediente tecnico, ma un modo per rendere un'intera visione del mondo, e per accentuarne l'aspetto di tonalità, ad ogni livello.

(R. Luperini, *L'orgoglio e la disperata rassegnazione*, Roma, Savelli, 1974)

Mito e storia nei Malavoglia

La logica dei *Malavoglia* è, per cosí dire, nel rapporto tra convenzionalità mitica o modo di rappresentazione e universo delle azioni, tra cosa della rappresentazione e rappresentazione della cosa. Il mondo culturale di Aci Trezza è sviluppato secondo la sua intenzionalità, perciò in modo mitico, rispetto a un piano di verità di tipo tragico, che sta al di sopra della coscienza dei personaggi. La tragedia sarà sentita dai personaggi in modo mitico, come rapporto di colpa ed espiazione e magari — con il riscatto della casa del nespolo da parte di Alessi — come finale riconciliazione, mentre il Verga insinuerà delle altre ragioni, di ordine storico e ideologico, e proporrà un altro tipo (tragico) di riconciliazione. La storia ha cambiato le condizioni di esistenza di una comunità di pescatori, ha introdotto la precarietà in luogo della stabilità. I Malavoglia sono costretti a farsi mercanti, a cambiare stato o a desiderare di cambiare stato, a improvvisare nuovi mestieri. L'instabilità si riflette nel loro modo di essere senza che essi ne siano coscienti e la sproporzione tra il loro modo di essere e il loro modo di rappresentarsi costituisce la struttura ironica del romanzo che trasforma il mito e la commedia in tragedia. Il Verga non propone cioè un mondo originario e fermissimo nei suoi fondamenti *in alternativa* alla storia, ma lo colloca dentro la storia e lo coglie nel punto in cui la temporalità si sta manifestando in esso, tant'è vero che lo inserisce in un ciclo di « vinti » e fin dal primo capoverso del romanzo ne definisce la prospettiva di crisi. Invece che funzionare come alternativa, esso è incastrato nella storia che ne disfa le trame significative. È qui che nasce un profondo e dissimulato lirismo, che può essere

però soltanto indiretto, subordinato a un piano di verità
superiore, giacché *I Malavoglia* sono la storia della non-
appartenenza di mito e mondo, condotta da un punto di
vista veristico, cioè non in una prospettiva di rivolta e di
rifiuto, ma in quella del rilievo realistico e del tranquillo
riconoscimento della necessità.

Il mito è la forma di cultura attraverso cui la comunità
tende a perpetuarsi e a riprodursi nel tempo. Esso è per-
manenza e durata, un modo di scongiurare la necessità che
si presenta come esterna al villaggio, nella forma della
novità insidiosa, della rivolta dei giovani contro i vecchi
('Ntoni/padron 'Ntoni). La rottura operata dai giovani
apre la catena della temporalità e toglie il suo fondamento
(il suo essere) alla comunità. Proprio nel punto in cui le
configurazioni piú stabili si incrinano e il calmo alternarsi
delle generazioni si spezza, appare il destino reale degli
uomini verso il quale si appunta l'interesse dello scrittore.

(G. Guglielmi, *Il mito nei « Malavoglia »*, in *Ironia e negazione*, Torino, Einaudi, 1974, pp. 78-79)

« Popolani » e « galantuomini » *nei* Malavoglia

[...] la rappresentazione del popolo è in Verga tanto
piú fedele e poetica quanto piú è socialmente disimpegnata
e ideologicamente conservatrice. [...] il popolo dei *Malavoglia* non è soltanto l'espressione del gradino umano piú
basso ed elementare (e quindi piú facilmente rappresenta-
bile, come credeva lo stesso Verga), ma è anche il soggetto
(mitico e storico al tempo stesso), in cui il funzionamento
di determinate leggi « universali » è piú evidente ed essenziale, piú scarno e significante. A quel livello profondo
poteva anche avvenire che il « galantuomo » e « pescatore »
avessero fra loro *realmente* piú tratti in comune di quanti
lo scrittore borghese, nel quale provvisoriamente quel galantuomo aveva tentato di incarnarsi, ne avesse con gli
ambienti « elevati » della sua esperienza continentale; e
che, in sostanza, il mondo etico e antropologico del proletariato siciliano, miticamente contemplato, scoprisse affinità insospettabili con quello del ceto proprietario locale (al
di là del contrasto e dell'odio profondo, che li dividevano).

Ma scoprire, sia pure oscuramente, questa corrispondenza, significava sognare la sua persistenza, la sua continuità, come fondo immobile dell'essere: niente si poteva muovere, perché l'equilibrio sociale era cosiffatto che « i *galantuomini* non potevano lavorare le loro terre con le proprie mani, e la povera gente non poteva vivere senza i *galantuomini* »; ma il convincimento che niente può muoversi, facilmente diventa la speranza che niente si muova. I miti poetici dell'opera verghiana non sono che l'estrapolazione fedele e la conseguente sublimazione di alcune precise forme della vita, quali potevano darsi in un ambiente dove il blocco agrario-contadino (al cui interno poveri e signori si ritrovavano stretti da una catena dolorosa, ma inevitabile) non era stato neanche scalfito, e conservava dunque una sua paradossale, tragica unità: il culto della famiglia, l'attaccamento alla casa, la persistenza dei valori (l'« ideale dell'ostrica »), l'ossessione della sopravvivenza, il desiderio della « roba » cresciuto abnormemente su di un mare di miseria, che però lo giustificava come unica garanzia contro la fame, la degradazione, la sconfitta. Noi non abbiamo dubbi, insomma, che l'immagine di padron 'Ntoni, in cui questa « etica della sopravvivenza » piú altamente si esprime, sia l'immagine speculare di Giovanni Verga, galantuomo siciliano e scrittore borghese *refoulé*.

(A. Asor Rosa, *La cultura*, in AA.VV., *Storia d'Italia*, vol. IV, t. II, Torino, Einaudi, 1975, pp. 975-976)

L'artificio della regressione

Nei *Malavoglia* Verga resta fedele all'artificio tecnico, già sperimentato in *Vita dei campi*, di non presentare i fatti dal proprio punto di vista di intellettuale borghese, con i parametri di giudizio, la scala di valori, i moduli espressivi che ad esso competono, bensí di delegare la funzione narrativa ad un anonimo « narratore » popolare, che appartiene allo stesso livello sociale e culturale dei personaggi che agiscono nella vicenda ed è portatore della visione caratteristica di un *milieu* subalterno, provinciale e rurale. Tuttavia la soluzione offerta dal romanzo è sensibilmente diversa da quella delle novelle precedenti, e al tempo stesso piú complessa. [...] Nei *Malavoglia* il « narratore » popolare è una presenza sensibile, tanto da eredi-

tare, per certi aspetti, persino la funzione del narratore
onnisciente del romanzo tradizionale, di tipo manzoniano
o balzachiano, poiché interviene nella narrazione coi suoi
commenti, introduce similitudini e paragoni, dà ragguagli
e giudizi sui personaggi, penetra nel loro intimo per rive-
larne pensieri e sentimenti, o addirittura anticipa al lettore
gli eventi che verranno. Tuttavia, lungi dal possedere una
funzione sistematica e continua di filtro deformante e
lungi dal fornire una prospettiva rigorosamente unitaria
sul narrato, sin dalle prime pagine lascia che si affermi la
prospettiva dei personaggi singoli e concreti, che nella loro
multiforme pluralità gestiscono quantitativamente la parte maggiore del processo affabulativo, divenendo il vero e
sistematico filtro della narrazione e lasciando alla « voce
narrante » una funzione pressoché marginale. Questa emer-
genza vittoriosa del coro reale sul « narratore » virtuale si
realizza in primo luogo, come è ovvio, attraverso un ampio uso del discorso diretto, che è il mezzo piú classico mediante cui si può affermare nel narrato la visione soggettiva
dei personaggi, oppure attraverso il discorso indiretto e l'indiretto libero, che del parlato diretto conservano tutte le
movenze, le immagini, i costrutti, come ha messo in rilievo lo Spitzer, e consentono in egual modo ai personaggi di
assumere l'iniziativa del racconto, imponendo la loro sog-
gettività. Però anche quando è il « narratore » che raccon-
ta, l'affinità sociale, culturale e linguistica che lo lega al
mondo rappresentato fa sí che, in certi casi, si verifichi un
vero e proprio processo di osmosi coi personaggi, e che le
rispettive fisionomie si confondano al punto da rendere
difficile distinguere a chi appartenga la prospettiva sulla
materia narrata. [...] Nell'atipica particolarità verghiana
chi « parla » è sempre il « narratore », ma, poiché questi
mantiene la sua individualità, non è sicuro che chi « vede »
sia proprio il personaggio, o almeno la distinzione fra le
due ottiche non è cosí netta: esteriormente sembra che sia
il « narratore » a « vedere » secondo la sua prospettiva,
però ci si accorge che in essa si è insinuata anche la prospettiva del personaggio, creando una forma ibrida e con-
taminando le due visioni in un'unità indefinita e ambigua.
    [...] questo « narratore » camaleontico [...], oltre a la-
sciare gran parte dello spazio narrativo alla prospettiva di-

rettamente o indirettamente espressa dei personaggi, non ha una sua fisionomia unitaria e coerente, ma assume di volta in volta la maschera di tutti coloro che entrano in scena, protagonisti, comprimari e comparse, si colora della loro ideologia, si identifica coi loro pregiudizi e le loro credenze, riproducendone mimeticamente ed ecolalicamente stereotipi mentali e comportamenti verbali [...]

(G. Baldi, *L'artificio della regressione. Tecnica narrativa e ideologia nel Verga verista*, Napoli, Liguori, 1980, pp. 75-81)

Oralità del racconto e bassa quotidianità

Dopo un quarto di secolo, sulla base degli stessi referti spitzeriani, possiamo pervenire a conclusioni notevolmente dissimili. L'« ascoltare » di Verga, la sua « filtrazione sistematica », appaiono a noi assai meglio raccordabili al fatto che « è proprio *quello che si ode* che forma la trama del romanzo », piuttosto che a qualsiasi altro elemento. [...] L'« originalità della narrazione » sarà sí da collocarsi nel famoso filtro sistematico dell'ascolto, nell'attenzione costante a « quello che si ode », ma il centro non si indica piú, per noi, nella coralità primitiva, ma nell'anonima anomia che l'indiretto parlato schietto imprime « liberamente » alla sintassi, con esiti di bassa quotidianità.

A un secolo, dunque, dai *Malavoglia*, riconosciamo in questa narrazione l'archetipo di una prosa che nasce dall'ascolto e soprattutto per l'ascolto. La scrittura sperimentale, quando si è rivolta alla pagina scritta come a uno spazio in cui possa depositarsi l'oralità fondamentale del narrare, e basterà qui pronunciare, uno solo per tutti, il nome di Vittorini, non poteva non ricongiungersi di fatto, in modi piú o meno calcolati e consapevoli, che all'esperienza verghiana. La distanza con il mondo compatto, se mai, della fabulazione e affabulazione romantica, e qui dovrebbero nuovamente intervenire le note suggestioni gramsciane in argomento, Spitzer aveva occasione di annotarla in margine, in una glossa preziosa, quando contrapponeva, un po' scolasticamente forse, ma con epigrafica sicurezza, il romanzo capace di lontananza storica e il romanzo tutto rovesciato sopra il presente.

Quando scriveva insomma che « *I promessi sposi* sono
un *romanzo dell'allora* e i *Malavoglia* un *romanzo del-
l'adesso* ». Ora, nel « *romanzo dell'adesso* », l'autore non
prende partito apertamente, ma « soltanto velatamente con
la scelta dell'azione ». L'ideologia si definisce, per eccel-
lenza, nella stessa sintassi « floscia » che stringe gli eventi,
senza residuo.

(E. Sanguineti, *Un romanzo dell'adesso*, in « Rinascita », 27 marzo 1981, p. 21)

Un capolavoro di monotonia e di monocromia stilistica

Chi scrisse *I Malavoglia* (1881) non ha alcuna simpatia
né amore per le creature di Aci Trezza, e non tenta di im-
mergersi in quelle anime. È un entomologo, che rappresenta con impassibilità sovrana quelle « formiche » che si
agitano inutilmente, quelle « ostriche » attaccate al loro scoglio, quelle « lumache » che strisciano sempre nei medesimi
luoghi. Guarda dall'orizzonte di corso Venezia o del Biffi
il piccolo paese sotto vetro: lo scruta con la sua lente che
diminuisce e riduce le cose; e obbliga formiche e lumache
a ripetere sempre le stesse parole e i medesimi gesti. Non
conosce altro di loro. Con una coerenza implacabile, si propone di uccidere tutte le possibilità fantastiche, tutte le suggestioni individuali, tutta la vita interiore dei suoi personaggi: in modo che la Vespa e zio Crocifisso, don Silvestro, don Michele e la Zuppidda restino chiusi per sempre
nel cerchio funebre della stereotipia. Il mondo di Aci Trezza è atroce e sinistro: esclusivamente fondato sull'avidità,
sul rancore e su una crudeltà, che raggiunge vette insupe-
rabili di spietatezza. Chi si salva sono i « vinti », che la-
crimano lungo le strade pensose e dolorose della vita; ma
soltanto perché sono vittime, e perché Verga ha bisogno
— come ogni allievo di Flaubert — di contrapporre un
fondale indeterminato e patetico al primo piano gremito
di gesti e di segni.

La perfezione dei *Malavoglia* dipende, in primo luogo,
da un artificio narrativo che, fino a quel momento, nessun
romanziere d'Europa aveva immaginato. La voce che rac-
conta non è quella di Giovanni Verga, e nemmeno di un
Verga che si sforzi di rendere soffocato e impersonale il

proprio accento. Chi narra le vicende della famiglia Toscano è un Narratore, che esiste per proprio conto come
può esistere una pianta o una pietra, e non ha nessun rapporto col gentiluomo che frequentava la Scala e il Circolo
dell'Unione. Questa voce anonima e assente, questa voce
senza padrone e senza eco, questa voce che ignora la fantasia e il pensiero, discende tra le strade di Aci Trezza.
Sebbene giunga da infinitamente lontano, cancella ogni prospettiva dall'orizzonte romanzesco: abolisce ogni distanza
dalla materia; condivide le parole di zio Crocifisso e della
Zuppidda. Sembra partecipare da vicino a tutto quello che
accade, ma una mortale indifferenza, una specie di vuota
atonia la pervadono e la possiedono nel profondo.

Rigida, dura, legnosa, meravigliosamente artefatta e sti-
lizzata, la voce dei *Malavoglia* sembra uccidere tutte le
cose che tocca. Il lirismo non la sfiora: l'analisi psicologica
o il commento intellettuale non tentano nemmeno di in-
filtrarsi dentro di lei. Le parole si succedono faticosamente
alle parole, i proverbi ai proverbi, gli intarsi verbali agli
intarsi, i discorsi indiretti raccolgono in sé altri discorsi
indiretti, sino a un'inestricabile ambiguità: le ripetizioni si
danno la mano attraverso il libro; come la rete rattoppata
di padron 'Ntoni e i muri a secco costruiti nella campagna
siciliana. Chi ascolti attentamente queste modulazioni, capisce come Verga sia stato aiutato dalla sua stessa mancanza di talento. Per scrivere *I Malavoglia*, a cosa poteva
servirgli la ricchezza delle immagini e la fantasia continuamente inventiva dello stile? Non aveva bisogno di ricchezza, ma di concentrazione: non di genialità, ma di tenacia; non di varietà, ma di minime, impercettibili variazioni. Il libro che egli compose a quarant'anni è un capo-
lavoro di monotonia e di monocromia stilistica, un tetro
monumento di ossessione verbale. Non vorrei affacciare
paralleli fuori luogo. Ma, rileggendo *I Malavoglia*, invece
di ricordare il melanconico impasto melodico di Flaubert,
ho sempre pensato alla voce anonima che si insegue senza
fine nei romanzi di Beckett.

(P. Citati, *Il mistero di Verga*, in *Il migliore dei mondi
impossibili*, Milano, Rizzoli, 1982, pp. 140-141)

III

ESERCITAZIONI

Allo scopo di fornire suggerimenti per una pratica verifica delle acquisizioni dei lettori de *I Malavoglia,* ci sia permesso suggerire alcune esemplificanti esercitazioni.

Non meravigli che alla fine di un saggio critico si inviti chi ha parallelamente fruito, e dell'opera dell'autore-scrittore, e del giudizio che ne hanno dato i vari commentatori, nel tempo e in questa stessa occasione, a tentare di avviare una propria analisi testuale.

Lo spirito della collana vuol giustamente stimolare nei lettori la critica personale, traendo spunto da quanto è stato detto sull'opera in sé e sull'operazione letteraria specificamente isolata nei suoi valori di forma e di contenuto o, meglio ancora, di struttura.

1. Verga è considerato, come autore de *I Malavoglia,* di *Mastro don Gesualdo* e della raccolta di novelle *Vita dei campi,* uno scrittore verista. Verificare le differenze di struttura e di tecnica narrativa tra i due romanzi verghiani, e tra *I Malavoglia* e altri romanzi veristi italiani, come *Giacinta* (1879) di Capuana, *I viceré* (1894) di De Roberto e *La bocca del lupo* (1892) di Zena, costruito sulla formula di un linguaggio parlato con cadenze dialettali.

2. Mettere in luce la differente tecnica narrativa di Verga rispetto a Manzoni, attraverso il confronto tra le pagine iniziali dei *Promessi sposi* e quelle dei *Malavoglia.*

3. Confrontare l'immagine delle classi popolari riflessa

nei *Malavoglia* con quella diffusa nella narrativa italiana
ottocentesca, che Asor Rosa ha collocato nel filone del populismo (cfr. il saggio *Scrittori e popolo*).

4. Attraverso una lettura dei romanzi giovanili di Verga, *Una peccatrice, Storia di una capinera, Eva, Tigre
reale, Eros,* individuare le differenze di tecnica narrativa
e di stile tra il Verga scapigliato e il Verga verista.

5. Confrontare la tecnica de *I Malavoglia* con quella de
L'assommoir (L'ammazzatoio) di Zola, che Verga aveva
letto durante la stesura del suo romanzo, per evidenziare
concretamente le differenze tra il metodo naturalista e
quello verista.

6. Leggere il saggio di Zola *Il romanzo sperimentale*
per misurarne l'incidenza su Verga, soprattutto a proposito della poetica dell'impersonalità e del romanzo come
studio scientifico del meccanismo delle passioni.

7. Verificare quali sviluppi hanno avuto i personaggi
e i nuclei narrativi della novella *Fantasticheria* nel romanzo *I Malavoglia.*

8. Identificare tutte le similitudini, le comparazioni, i
modi di dire proverbiali e i riferimenti al codice culturale
della comunità dei pescatori di Aci Trezza.

9. Analizzare il trattamento del tempo nel romanzo,
verificando le coincidenze e le distanze tra *tempo del racconto* e *tempo della storia* nello sviluppo della vicenda.

10. Individuare la tecnica del « discorso indiretto libero » attraverso una serie di sequenze-campione ritagliate
dal romanzo.

11. Tentare di costruire un « sistema dei personaggi »,
ordinato sul gioco di parallelismi e opposizioni, attraverso
lo smontaggio dei meccanismi dell'intreccio.

12. Individuare, fornendo altri esempi oltre a quelli da

noi proposti, la tecnica verghiana della ripetizione e della concatenazione nelle immagini e nel linguaggio.

13. Ricostruire il sostrato antropologico e mitico della comunità paesana di Aci Trezza. Nel corso dell'analisi, per esempio, si è accennato piú volte al motivo del viaggio e della morte-resurrezione.

14. Analizzare il tema dell'amore attraverso le figure di Alfio e Mena, che riflettono il motivo dell'« idillio » impossibile, e confrontarlo con le altre relazioni amorose del romanzo, ridotte a rapporti materiali o d'interesse, e con quelle di altri romanzi italiani e stranieri dell'Ottocento.

15. Definire la funzione del gesto e il rapporto tra la parola e il silenzio nei personaggi del romanzo.

16. Individuare i diversi significati di alcune parole-chiave come « galantuomo » (e qui si può tentare un confronto con lo stesso uso della parola nei *Promessi sposi*) e « badare ai propri interessi ».

17. Analizzare il tema dell'emarginazione che coinvolge i membri della famiglia Malavoglia, progressivamente esclusi dal contesto sociale e morale della comunità di Aci Trezza. Formulare un'ipotesi di spiegazione sociologica con un riferimento: a) al ceto della borghesia agraria meridionale, da cui Verga proveniva, emarginato rispetto allo sviluppo capitalistico-industriale dell'Italia postunitaria; b) al senso di esclusione dell'intellettuale e dell'artista da una società mercificata, dove contano solo, come avvertiva lo stesso Verga nella prefazione a *Eva*, le « Banche » e le « Imprese industriali ».

18. Nel 1948 Luchino Visconti ha tradotto in linguaggio cinematografico *I Malavoglia* nel film *La terra trema*, leggendo il romanzo di Verga attraverso gli schemi ideologici del « realismo socialista » e facendo parlare e gestire la gente di Aci Trezza. Dopo un'attenta visione del film, reperibile in qualche cineteca, provate a individuare il diverso modo di « montare » e selezionare le sequenze narrative per ottenere differenti effetti ideologici e stilistici.

19. Studiare l'influenza dei *Malavoglia* sul romanzo italiano successivo, confrontando le opere narrative del verismo e quelle del neorealismo. Si può partire dal « triangolo » istituito da Calvino nella prefazione a *Il sentiero dei nidi di ragno*: *I Malavoglia, Conversazione in Sicilia* e *Paesi tuoi*. È stato detto che il romanzo di Verga rappresenta un modello narrativo unico e irripetibile nella letteratura italiana. È possibile capovolgere o comunque correggere questa acquisizione critica?

20. Il tema dell'esclusione e dello sradicamento, che coinvolge il personaggio di 'Ntoni negli ultimi capitoli del romanzo, sembra collegare *I Malavoglia* alle problematiche del romanzo novecentesco. Basti pensare all'importanza che assume questo motivo nell'opera di Pirandello e Svevo e nella narrativa di area mitteleuropea, in particolare nei romanzi di Roth. Attuare qualche verifica in questa direzione.

21. Sempre sul tema dell'esclusione, dello sradicamento, si possono confrontare i diversi esiti a cui dà luogo in Verga e Pavese. Mettere in parallelo la battuta di Alfio: « Quando uno lascia il suo paese è meglio che non ci torni più, perché ogni cosa muta faccia mentre egli è lontano, e anche le faccie con cui lo guardano son mutate, e sembra che sia diventato straniero anche lui » (p. 259), con quella di Anguilla, l'emigrante che torna nelle sue Langhe ne *La luna e i falò*: « Un paese ci vuole, non fosse che per il gusto di andarsene via. Un paese vuol dire non essere soli, sapere che nella gente, nelle piante, nella terra c'è qualcosa di tuo, che anche quando non ci sei resta ad aspettarti » (p. 12).

IV
NOTA BIBLIOGRAFICA

I. OPERE DI VERGA

Amore e patria, inedito.
I carbonari della montagna. Sulle lagune, Milano, Vita e Pensiero, 1975.
Sulle lagune, Modena, Mucchi, 1973.
Una peccatrice. Storia di una capinera. Eva. Tigre reale, Milano, Oscar Mondadori, 1970.
Eros, Milano, Oscar Mondadori, 1976.
Tutte le Novelle, a cura di C. Riccardi, Milano, Mondadori, 1979; A. Cannella, Milano, Principato, 1987.
I Malavoglia, in *I grandi romanzi* a cura di F. Cecco e C. Riccardi, Milano, Mondadori, 1972.
Il marito di Elena, Milano, Oscar Mondadori, 1980.
Mastro don Gesualdo a cura di C. Riccardi, Milano, Mondadori, 1979.
Teatro, Milano, Mondadori, 1972.

II. BIBLIOGRAFIA DELLA CRITICA SU « I MALAVOGLIA »

L. Russo, *Giovanni Verga*, Napoli, Ricciardi, 1920.
L. Pirandello, *Saggi, poesie e scritti vari*, Milano, Mondadori, 1960 (i saggi verghiani sono del '20 e del '31).
D.H. Lawrence, *Phoenix*, London, Heinemann, 1936 (il saggio su Verga è del '22).
G. Devoto, *Giovanni Verga e i « piani del racconto »* (1954), in *Nuovi studi di stilistica*, Firenze, Le Monnier, 1962.
L. Spitzer, *L'originalità della narrazione nei « Malavoglia »* (1956), in *Studi italiani*, Milano, Vita e Pensiero, 1976.
A.M. Cirese, *Verga e il mondo popolare: un procedimento stilistico nei « Malavoglia »* (1955), in *Intellettuali, folklore, istinto di classe*, Torino, Einaudi, 1976.
N. Sapegno, *Ritratto di Manzoni e altri saggi*, Bari, Laterza, 1961.
G. Debenedetti, *Verga e il naturalismo* (1951-53), Milano, Garzanti, 1976.

R. LUPERINI, *Pessimismo e verismo in Giovanni Verga*, Padova, Liviana, 1968.

G. CECCHETTI, *Il Verga maggiore*, Firenze, La Nuova Italia, 1968.

A. ASOR ROSA, *Scrittori e popolo*, Roma, Samonà e Savelli, 1965.

V. MASIELLO, *Verga tra ideologia e realtà*, Bari, De Donato, 1970.

A. LANCI, « *I Malavoglia* » - *Analisi del racconto*, in « Trimestre », 1971, n. 2-3, pp. 357-408.

T. WLASSICS, *I gesti dei Malavoglia*, in « Lettere Italiane », aprile-giugno 1971, pp. 187-196.

G. GUGLIELMI, *Il mito nei Malavoglia*, in *Ironia e negazione*, Torino, Einaudi, 1974, pp. 66-94.

G. PIRODDA, *L'eclissi dell'autore. Tecnica ed esperimenti verghiani*, Cagliari, Edes, 1976.

V. SPINAZZOLA, *Verismo e positivismo*, Milano, Garzanti, 1977.

S. ZAPPULLA MUSCARÀ, *Invito alla lettura di Verga*, Milano, Mursia, 1979.

G. BALDI, *L'artificio della regressione. Tecnica narrativa e ideologia nel Verga verista*, Napoli, Liguori, 1980.

N. BORSELLINO, *Storia di Verga*, Bari, Laterza, 1982.

P.M. SIPALA, *Il romanzo di 'Ntoni Malavoglia e altri saggi*, Bologna, Patron, 1984.

S. GUGLIELMINO, Edizione commentata dei *Malavoglia*, Milano, Principato, 1985.

M.L. PATRUNO, *Teoria e forme della letteratura verista. Capuana, Verga, Betteloni*, Manduria, Lacaita, 1985.

F. CECCO, Edizione commentata dei *Malavoglia*, Milano, B. Mondadori, 1986.

F. NICOLOSI, *Verga tra De Sanctis e Zola*, Bologna, Patron, 1986.

V. GUARRACINO, *Guida alla lettura di Verga*, Milano, Oscar Mondadori, 1986.

V. MASIELLO, *Il punto su Verga*, Bari, Laterza, 1986.

A. ASOR ROSA, *I Malavoglia tra storia, ideologia e arte*, in *Il caso Verga*, Palermo, Palumbo, 1987[2], pp. 197-235.

INDICI

INDICE DEI NOMI

INDICE GENERALE

STAMPATO
PER CONTO DEL GRUPPO UGO MURSIA EDITORE
DA « L.V.G. »
AZZATE (VARESE)